右近vs8人

尾上右近　アーティスト対談集

右近vs8人

もくじ

アートが生まれる現場を見てみたい、作家の頭の中を覗いてみたい……
歌舞伎俳優・尾上右近が、そんな思いを胸に8人の現代美術作家のスタジオを訪問。
アーティストとの対話を通して、その素顔に迫る。

1 井田幸昌

絵画を中心に彫刻や版画も発表し、気鋭の若手として世界中にコレクターを持つ井田幸昌氏。日本の民間人として初めて宇宙旅行をした前澤友作氏によって、2021年12月、その作品が国際宇宙ステーション（ISS）に設置されたことでも話題を呼んだ、今最も注目されている現代アーティストの一人だ。体育館ほどもあるスタジオに置かれた様々な作品に、最初は圧倒されていたものの、年齢が近いこともあり、すぐに打ち解けた様子の尾上右近。家族との関係から、表現に必要なマインドまで、熱のこもったトークが繰り広げられた。

井田幸昌　Yukimasa Ida
1990年、鳥取県生まれ。東京藝術大学大学院美術研究科絵画科油画専攻修了。2016年、現代芸術振興財団（前澤友作氏設立）が主催する若手作家のアワード「CAF賞」にて審査員特別賞受賞。2017年、レオナルド・ディカプリオ財団主催のチャリティオークションに史上最年少参加。同年、株式会社IDA Studioを設立。2018年にはForbes JAPAN主催「30 UNDER 30」に選出。2021年にはDiorとのコラボレーションを発表するなど多角的に活動。国内外で発表を続け、作品は国内外のコレクター、美術館に収蔵されている。主な個展に「King of limbs」（カイカイキキギャラリー、東京、2020年）、「Here and Now」（マリアン・イブラヒム・ギャラリー、シカゴ、2021年）「YUKIMASA IDA visits PABLO PICASSO」（ピカソ生誕地ミュージアム、マラガ、2022年）、「Now is Gone」（マリアン・イブラヒム・ギャラリー、パリ、2022年）、「Panta Rhei　パンタ・レイ － 世界が存在する限り」（米子市美術館・京都市京セラ美術館、2023年）。2023年に東京都現代美術館で開催された「クリスチャン・ディオール、夢のクチュリエ」展に参加。

一期一会

右近 めちゃくちゃ広くてカッコいいスタジオですね。中でも、後ろにあるこの絵は、サイズといい存在感といい、ダントツです。

井田 前澤友作さんからご依頼いただいて描いた絵で、昨年（2021年）完成しました。前から描きたいテーマがあったところに「好きにやっていい」と言っていただいたので、20代の集大成のつもりで描かせてもらいました。そしたら、「本当に好きにやったね」って（笑）。

右近 この大きさでも、いきなり原寸大で描くんですか？

井田 これは、さすがに設計図みたいなものを作りました。クールベの《画家のアトリエ》から着想を得ていて、死の世界と生きている人の世界を描いています。この絵筆を持っているのが僕で、白いカンヴァスは未来なんです。端からずーっと描いていって、結局3年掛かりました。

右近 3年ですか！　依頼を受けないこともあったりするんですか？

井田 もちろんありますよ。僕のやりたいことをやらせてくれるという条件のもと、色々お話しさせていただいて。「じゃあ、やりたいです」とならない限りは受けないので、そこは大事にしていますね。作品はずっと残っていくものだし、僕の表現として世の中に出て行ってしまうから、中途半端な気持ちで作ったものを残したくはないんです。

右近　僕がやっている表現とは、そこが大きく違いますよね。生の舞台は残らないものなので。演じるの「演」って、さんずいに寅《とら》と書くじゃないですか。水に寅を描く作業なので、どんなに勇ましい寅を描いてもすぐに消えていくんですよ。

井田　カッコいいですね、その言葉！　僕もそういう言葉、欲しいな（笑）。

右近　あはは（笑）。でも本当にそういう感覚なんです。言ってみれば空気を作っているようなもので、たとえ歌舞伎の舞台を映像で残したとしても、その空気感は、劇場でその日観てくださった方しか味わえないものじゃないかなと。まさに毎回が一期一会だなと感じます。

井田　一期一会、いい言葉ですよね。僕も一貫して、一期一会を作品のコンセプトにしているんです。二度とない今を表現できたらなと。

右近　「豚」をモチーフにされた作品も多いですよね。それはどういうところからきているんですか？

井田　僕の祖父が昔、養豚をやっていたんです。父親（彫刻家の井田勝己氏）がその豚小屋を改修してアトリエにしていて。それが僕の原体験としてあるので、自分が描いていくモチーフを選ぼうという時期に、ああ、豚だなと。今も描き続けています。

右近　お肉として売るために、愛情を注いで豚を育てる……僕は6年くらい前から自主公演をやっているんですが、今ちょっと近いものを感じました。もちろん、観ていただくお客様あってこそなんですが、自分の中では、大事に作ったものをたまたま見てもらうような感覚があるんです。

井田　僕の作品も同じですよ。最後は、美術館なのかお客さんのもとに行くのかわからないけど、手元から離れていく。餌をもらって育てられ、そして売られていく豚は、消費する・される側という構造を持つ人間社会を象徴するような存在だと思っています。

反発と尊敬と

右近 井田さんが芸術家のお父さんから受けた影響というのは、どれくらいあると思われますか？

井田 小さい時は親父のアトリエで遊んでいましたし、制作するところも見ていたので、影響は絶対あると思いますね。その血が自分にも流れているなと感じてもいますし。ただ、それがコンプレックスだった時期もあるんです。どこへ行っても親父の名前で呼ばれて、それが本当に嫌だった。で

も、親父のことや家のことを調べまくったら納得しちゃって、尊敬するようになりました。反発からの尊敬。そしたら気持ちも楽になって、「俺は俺の人生を生きればいいんだ」と思えてきて。今は、自分がそういう環境に生まれて、今この世界にいること自体はよかったのかなと感じています。コンプレックスも原動力にはなったし、気概とか情熱みたいなものを自分なりに見つけることができたので。

右近　環境って、自分で把握できているよりも、ずっと深い部分に影響していたりしますよね。僕なんか色々やりたいほうだけど、どんな切り口で自分の性格を見ても最終的に歌舞伎がベストマッチだと思うのは、自分の感覚や考え方を育んできた環境の力が大きいんだろうなと感じます。

井田　右近さんは、僕なんかよりずっと家との関わりが深そうですしね。伝統芸能の世界は、ある意味、特殊というか、一般とは違った世界じゃないですか。

右近　特殊な世界の中でも、うちはさらに特殊なケースなんです。僕の曽祖父は六代目尾上菊五郎[★1]という歌舞伎役者なんですが、その娘である祖母が、清元という歌舞伎の音楽の家に嫁いで、そこで生まれて清元宗家を継いだのが僕の父。だから僕は、歌舞伎役者の血は流れているんですけど、歌舞伎役者の家に生まれたわけではないんです。

井田　なるほど。

右近　そんな僕が、祖母の家で見た曽祖父の歌舞伎の映像に魅せられて、歌舞伎役者をやりたいと言い出した。しかも、一つ経験させてやろうという周りの計らいで初舞台を踏ませてもらったら、さらにのめり込んでしまって。**思春期なんかは、父との間に隙間風がビュービュー吹いて大変でした。**清元の稽古があるので、会話はしていましたけど。

井田　どうやって和解したんですか?

右近　歌舞伎役者になりたい僕の気持ちと、後を継いでほしいという父の気持ちの熱さの戦いみたいなことが続くうちに、父も僕の熱量を認めてくれるようになって。だから今は、照れくさいですけど、お互いの人生を尊重し合っているし、普通にしゃべっています。ただ、隙間風がまったくなくなることはないと思います。表現する世界の人間同士だし、オス同士というのもあるので。

★1　六代目 尾上菊五郎/1885(明治18)年–1949(昭和24)年。屋号は音羽屋。時代・世話・舞踊・新作の各分野で卓越した演技を見せた大正・昭和期の名優。当たり役は非常に多く、中でも『春興鏡獅子』は屈指の人気舞踊作品となり、小津安二郎監督によって記録映画も撮られている。右近が言う「曽祖父の歌舞伎の映像」は、この小津唯一のドキュメンタリー『鏡獅子』のこと。

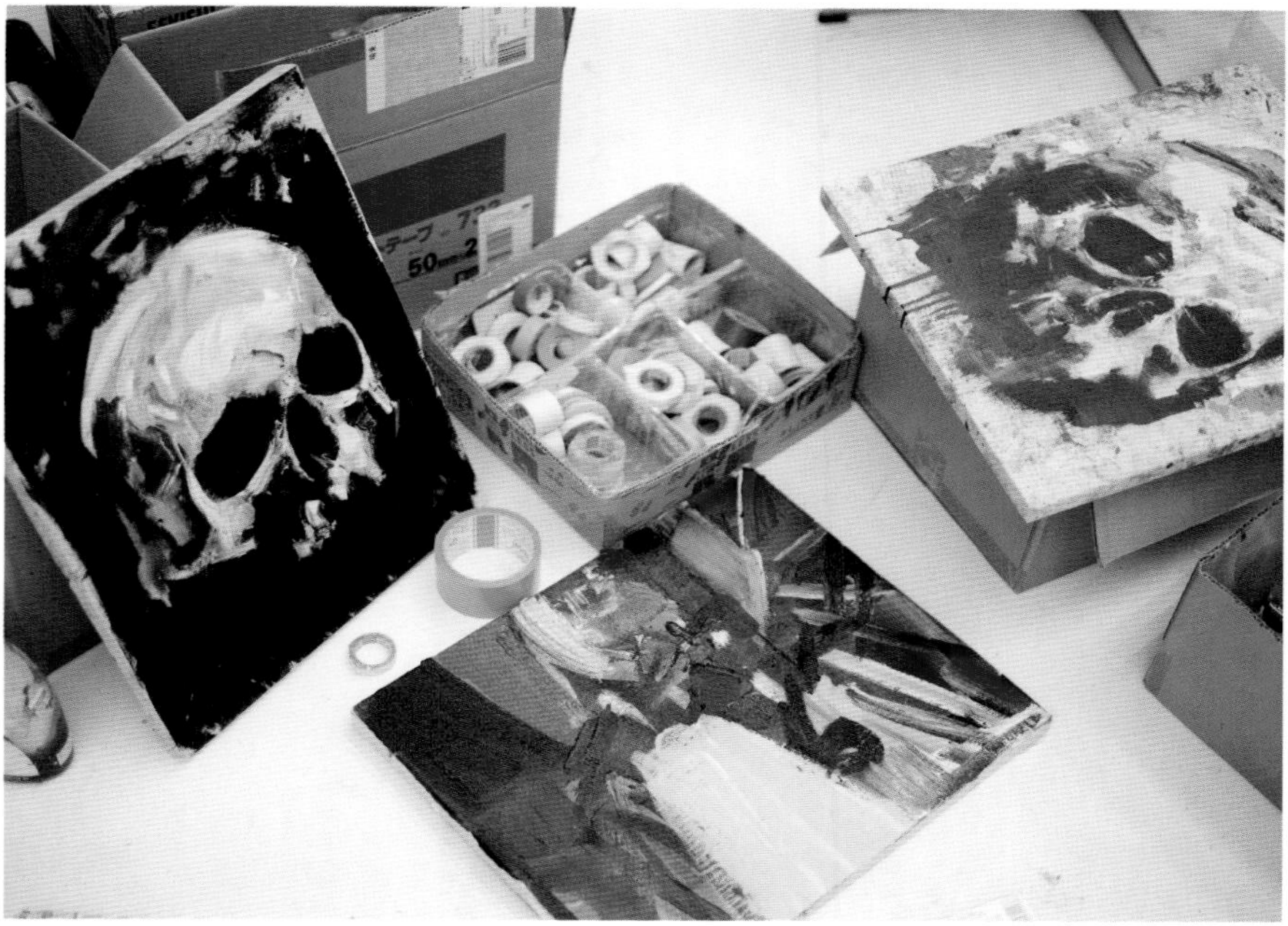

井田　うちも僕がまだ画学生の頃は、帰るたびに美術の話で喧嘩になってたなあ。親父はその世界で何十年もやってきた先輩だから、「お前のことを易々とは認めない」みたいな気持ちがあったんだと思います。でも最近は仲が良くて、父にはよく「家族だけど、お前のことは息子と思ったことがない」と言われますね。それはきっと「同じ作家として見てるからね」ってことだろうな、逆に褒め言葉なんだなと、僕的には解釈してるんですけど。

右近　親子で表現の仕事をしているって、面倒くさいですよね。

井田　そうですね。僕は子どもが二人いるんですが、「負の歴史を繰り返すまじ」

みたいな思いが、心の中にはすごくあります（笑）。

右近 僕も同じことは絶対に繰り返したくない……。でも、きっと僕も子どもを持ったら、自分が好きな世界を子どもに見てほしい、共有したいと思うんだろうなあ。アンビバレントな気持ちで、大変なことになりそうな気がします（笑）。

挫折から得たもの

右近 井田さんは、いつ頃から本格的に絵を始めたんですか？

井田 16歳ですかね。親父がアメリカに行って家にいない間に、僕はグレてまして……。それで、帰国した親父が、息子が大変なことになっている、これはいかんぞと考えて、僕を無理やり画塾につっこんだんです。親父の中には、それしか方法論がなかったんでしょうね。で、僕も「ほかにやることないし、やるか」みたいな感じで描き始めて。

右近 そこからはもう、絵の道を邁進されて？

井田 いえ、絵が嫌になった時期がありました。心の中が難しくなって、野球選手に多いイップス（心の葛藤によってスポーツ動作に支障が出ること）みたいに、筆を持つと手が震えたり、白いカンヴァスを見ると体が震えて動けなくなったり、それが本当にしんど

TURNER
COLOUR
WORKS

くて。それで親父に「立体（造形）がやりたい」と相談したことがあるんです。もともと立体をやりたい気持ちもあったから。

右近 何歳ぐらいの時ですか？

井田 18歳くらいかな。でも親父に「逃げるんじゃねえ」「そういうことはいっぱしの作家になってから言え」みたいなことを言われて、まあそうだよなと。それで、その1年間は本当にしんどかったんですけど、絵に対する考え方を勉強していったら、絵が楽しくなってきて。大学受験には何度も失敗したんですが、悔しい思いで勉強する中で、絵を描く魅力にも気がつきました。我慢してきた歴史と、魅力に気づいた自分の歴史の狭間で、いつの間にか絵にどっぷりハマって、画家になるぞと思うようになっていった感じです。

右近 色々な迷いもあったんですね。僕の場合は、今はありがたいことに役者と清元の両方をやらせてもらっているのですが、正直に言うと、清元を棒に振ることに対する無念さがないくらい役者をやることが好きだった。だから、わりと早くから「高校を卒業したら絶対に役者一本でやっていこう」と決めていました。焦ってもいたんですよね。同年代の歌舞伎役者がずんずんと大きくなっていくのを感じて。

井田 僕は一度、絵をやめて就職もしているんです。親父からは「1浪までしか許さん」と言われていたのに、東京藝術大学に3回落ちてしまって。3浪くらいザラにいる大学ではあるんですが、3

回目は親父に「もう1回だけ受けさせてください」って土下座して受けていたので、「もう諦めます」と実家に帰って、墓石を作っている石屋さんに就職しました。そこでの経験は、今でも生きています。

右近　どういうきっかけで、絵の道に戻ったんですか？

井田　ある日、御骨を骨壺から一つひとつ取り出して、カビや汚れを洗う仕事をしている時に「死んだらここに納められて、誰か知らないやつに骨を洗われて……人間みんな、そんなもんだな」「だったら、好きなことをやらんとダメだろ」みたいなことを感じて。で、半年くらいモヤモヤと考えていたんですけど、やっぱり自分が好きなものっていったら、絵を描くことしかないなと思って、休みの日に小さい木のパネルと絵の具を買ってきたんです。画材は全部、捨てたり、燃やしたりしていたから。それで描いてみたら涙がポロポロ出てきちゃって、「俺はこれがやりたいんだな」と。それで石屋の親方に「申し訳ないんですけど、もう1回だけ藝大を受験させてください」と言ったら、

エコフラット
60

親方が「落ちてこいよ」と快く送り出してくれて。そこで、たまたま受かっていなかったら、僕は今ここにいないです。

右近 そこまでの気持ちで入った大学はどうでしたか？

井田 それが、ほとんど行かなかったんです（笑）。あんなに一生懸命勉強してやっと入ったのに、自分が求めているものを得られる環境とは違う気がして。僕も焦っていたんですよね。それで2年の時かな、親父に「大学やめたいんだよね」って相談したんです。その時がいちばん怒られましたね。

右近 ははは！ それは困ったちゃんですね（笑）。

井田 まあ、自覚はしています（笑）。それで結局、大学は休学して、自分で貯めたお金でニューヨークに行きました。親の目や周りの目も気にしつつ、なんとか自分がやりたいことができる環境を作ろうというのが、20代のテーマだったところがありますね。

絵と質量

右近 いまや、自分がやりたいことができる環境を見事に確立されていますよね。（スタジオを見渡しながら）制作中の作品が色々並んでいますが、作業の時間はだいたい決まっているんですか？

井田 作業するのは夜のことが多いです。そのほうが集中できるので。今はちょうど、締め切りが終わった後のぽかーんとした時期なんですが、常に睡眠時間は結構しっかりとりますね。寝ないと、頭の解像度が下がっていくように感じるから。

右近 作品の着想は、どういうところから得ているんですか？

井田 ケースバイケースです。作りたいもののイメージをストックしているので、そこから出すこともあれば、旅先で感じた空気をそのまま表現したいような時は、そのノリで作ったり。そういうイメージや思考、概念みたいなものを、はっきりしないままアウトプットするのが抽象画。逆に、イメージが鮮明なものは、はっきりアウトプットする感じです。人物のモチーフに関しては、基本的には、僕が影響を受けた人を描いています。だから、身近な人もいれば、世界を変えたような人もいるんです。

右近　先ほど、前澤友作さんの絵に3年ほど掛かったとおっしゃっていましたよね。時間がどんどん進んで、色々なものが変わっていく中で、描き始めた時の思いを描き終えるまで貫き通すのって、難しくないですか？　僕自身はその日のバイブスをその日の舞台に刻んでいくような作業をやっているから、そう感じるのかもしれませんけど。

井田　僕は最初の思い自体、変わっていくものだと思っているんです。描いている中で僕自身も変わっていくし、常に今の自分がいちばんだと思っているので、その「今」が作品に生かされていないと、描いている意味がない。むしろ、最初の思いをキープしようという気持ちは捨てて、今より先に待っている自分の領域にコミットするというのかな。「この先、何が待っているんでしょうか」というような気持ちで描いています。

右近　なるほど。「もう、これで完成」という判断は、どこでしているんでしょう？

井田　絵が「もう描くな」と言ってきます。

右近　おおーっ！　そんなことが！

井田　僕はよく絵の「質量」と言っているんですが、1枚の絵に、ある一定の情報とか感情が乗っかって、その絵の質量に達すると、今までの世界になかったものが一つの確かな存在として、ドンと迫ってくるんです。その瞬間、筆がピタッと止まる。もう手を入れられないなって。自画自賛するみたいで気持ち悪いですけど、そうなるともう畏怖の対象に変わってしまうような感覚があるんです。

右近　面白いなあ。

井田　そういう感覚は、やっぱり不出来なものを作ってしまった時にはないので、描いていてもイライラしてきます。逆に、完成に向かって絵がオーラみたいなものを発し出した時は、楽しくて仕方がない。ただ、完成してしまったら、楽しい作業も終わるので、嬉しいのか悲しいのか、わからなくなったりします。ちょっと寂しいような気持ちというか。

右近　その気持ち、僕にもわかるなあ。歌舞伎の興行の千穐楽《せんしゅうらく》なんて、毎回むちゃくちゃ寂しいですもん。役者の家の生まれ

ではない僕は、初舞台から5年くらい本名で舞台に立っていたんです。それって、言ってみれば、**歌舞伎界への〝定期券〟をもらっていない状態で、毎回、切符を買っているような感じ。**しかも、次にいつ切符を買えるかわからない。千穐楽は、そういう寂しさに直面する日で、その寂しさは次の舞台が決まるまでずっと続くんです。そんな記憶がトラウマのようにあるから、名前をいただいて定期券をもらった今も、千穐楽は本当に寂しくなるんですよ。

井田 一つの公演が終わってしまう以上の寂しさを、ご活躍されている今でも感じるわけですね。

右近 そういう自分の寂しさとか、誰とも共有できない虚無感や満たされない思いって、充実している今も自分の中に残っているんですよね。行き場のない独りぼっちの「鬼」みたいなものとして。僕の周りの役者さんにも、それぞれに鬼を飼っているんだなと感じることがあって、きっと自分の中に上手に鬼を飼っている、いい意味での独りぼっち同士が一緒に作るから、舞台は面白いんだろうなって思います。

井田 僕の中には、二人いる感じですよ。

右近 鬼が二人……それは大変そう！

井田 大変です。うまいこと飼育してやらないと、暴走してしまうので。ただ僕の場合

は、自分の中に、僕のことを全肯定してくれる自分と、超絶否定的な自分と、その中間の僕がいて、ちょうどいい距離感を常に探っているような感じで、僕がMなのか、そういう状態も結構好きだったりするんですけど（笑）。

没入と面白がる力

右近 なるほど。そもそも、独りで作品を生み出す作家さんなんて、きっと鬼でしかないですよね？

井田 どうですかね。まあ、締め切りが迫ってきて、焦燥感に駆られる状況というのも、わりと好きではあります。自分を追い込んで奥深いところから何かを引き出してこないと、自分の求めている表現の強度を出せないこともわかっているし、一種、殺気立った状態で集中して描いている時のほうが、結果的にいいものが生まれてきたりするんですよね。

右近 僕にもそれ、わかります。近頃、「上手い／下手」と「いい／悪い」は別物で、「いい／悪い」は夢中かどうかに掛かっているんだなと感じていて。もちろん客観性も大事だし、経験を重ねながら表現として上手くなっていくことも大切だと思うんですが、下手でもなんでも、夢中で形に残した時の自分のほうが、僕は好きなんです。

井田　そこのバランスって、表現者にとって永遠の課題なんだと思います。こなれて上手くなっていく分、どうしても失われていくものがあるから。それでも僕は、本当のプロは絶対に上手くなきゃいけないと思っていて。葛飾北斎の版画とか見ると、技巧的にめちゃめちゃ上手いんだけど、狂気があるというか、どれだけ制作に没入したんだろうって思う。それを作品から感じるんだから、描いた時の本人の狂気や没入たるや。たぶん一流の人たちは、さっき言った永遠の課題を乗り越えた上で、楽しんでいるし、没入しているんだろうなと。業界は違っても、そこは共通している気がしますね。僕も早くそういうレベルに行きたいんですけど。

右近　憧れますね、そういう境地に。

僕なんか、いまだに公演初日は緊張しますもん。昔ほどではないにしても、不安でいっぱいになって、お腹をこわすし、ちょっとした物音も気になっちゃって、毎回、素人みたいな感じですよ（笑）。

井田　それはちょっと意外です。でも僕も、もうすぐそうなりますよ。今は締め切りが終わって、寝てばっかりいますけど、そうしながらもちょっと不安なんです。「あの締め切りで切羽詰まった時の俺に戻れるかな。というか、あれを超えなきゃいけないしな。どうなるかな……」って。確かに、1回素人返りするような感じがありますね。

右近　でも、素人返りするのも意外と好きだったりしません？

井田　ですね（笑）。そこから玄人《くろうと》に戻る行程が、また楽しかったりする。「ああ、俺、やれてる、やれてる」って（笑）。

右近　僕もです（笑）。あとはもう、お客さんや支えてくださる方々への感謝を爆発させるような気持ちでやってます。それが今、自分のテーマになっていて。

井田　素敵ですね。今回こうやってお会いして、歌舞伎を観に行きたくなりました。

右近　ぜひぜひ！　そういえば、大きな木彫が置かれたエリアで、写楽の役者絵をモチーフにした絵を見ました。

井田　ちょっとした実験のつもりで描きました。自分の幅を広げたいと思って版画をやってみたことから、ちょうど最近、浮世絵とか日本の古典作品に興味を持つようになって。立体の木彫も、版画の延長でやり始めたことです。

右近 新しいことにも色々と挑戦されて、常に自分に刺激を与えていらっしゃるんですね。

井田 あまり経験がなかった20代の頃は、何を見ても新鮮で楽しかったんですけど、年々「これ、もう見たな」「あれと似ているな」というふうに、流しちゃっている風景が増えていると感じていて。

右近 経験値が増えるほど、「面白がる力」が必要になっていくんでしょうね。

井田 年を追うごとに、それが欠落している気がするんです。ぽろぽろと角が取れて、丸くなっている自分を感じる。それはそれで、人として必要な成熟だとは思うんですが、やっぱり尖っている部分も持っていないと。そうなれる状態を自分で作るのか、与えられるのか。能動的にも受動的にも固執していきたいなと思っています。今度、海外にスタジオを作る予定なんですが、それもそういった気持ちからです。

右近 すごいなあ。僕が今いちばん興味があるのは……集客! どうしたら歌舞伎にもっとお客さんを呼べるかですね。自分にできることは何か?とか、周りに頼ったり、誰か外部の人に助けてもらうほうが効果的なのか?とか、よく考えます。

井田 自力でやれることにも限りはありますしね。僕は最近、ギャラリー★2に入ったんで

★2 シカゴ、パリ、メキシコシティに拠点を持つマリアン・イブラヒム・ギャラリーのこと

す。ギャラリーに所属するという形にちょっとした反発があって、自分で会社を立ち上げてやってきたんですが、他力も大事だなと思うようになって。自分以外の人の意見や価値観に触れることで、また違う気づきもあるだろうし、自分の再解釈にも繋がるんじゃないかなと。僕も少し大人になって、やっと人の意見も聞こうかなという感じになってきました（笑）。そういうタイミングで右近さんと濃密な話ができて、今日は楽しかったです。

右近　こちらこそ、楽しい時間をありがとうございました。僕の曽祖父の六代目尾上菊五郎は、横山大観と友達だったそうなんです。大観に「お前はいいな。舞

443181
強力吸収
TURNER
COLOUR
マイバスケット

台で失敗しても、それを観るのはその日のお客だけだろう？　俺の場合は、まずいと思った絵でも、気に入られてずっと飾られる可能性がある。形に残るって、しんどいぞ」と言われた六代目が、「いいや、語り継がれはするかもしれないが、俺がどんなにいい芝居をしても、それを観られるのは、その日のお客だけなんだ。いい作品が永遠に残る画家のほうが羨ましい」と返して、「お互いに因果な商売だな」と言い合ったというエピソードがあるんですよ。

井田　素敵な話ですね。

右近　僕もこの話が大好きで。**井田さんとはぜひ人生の終盤に、そういう話をさせていただきたいです！**

井田　ははは（笑）。いいですね。これからさらに色々な経験を積んで、あの時はこうだったねと、言い合えたら最高ですね。

2

田名網敬一

田名網敬一氏といえば、
1960年代から半世紀以上にわたって
アートシーンを牽引する、
日本のポップアートの先駆者。
様々なコラボレーションも展開し、
その圧倒的なエネルギーと
鮮烈な印象を放つ作品で、
幅広い世代から支持を得ている。
奇想天外なイメージに満ちた極彩色の作品と、
柔和でどこか少年のような雰囲気も漂う
田名網氏とのギャップに、
戸惑いつつも興味津々の右近。
年齢差56歳の対談の内容は、
戦争中の話から今の教育の話まで、
多岐にわたった。

田名網敬一　Keiichi Tanaami
1960年代よりグラフィックデザイナーとして、映像作家として、そしてアーティストとして、メディアやジャンルにとらわれず、むしろその境界を積極的に横断して創作を続ける。その半世紀を優に超える活動の歴史と軌跡は、21世紀における新たなアーティスト像の模範として、世界中の若い世代のアーティストから絶大な支持を集めている。近年では、adidas Originalsとのコラボレーション「adicolor × Tanaami」コレクションを発表。その精力的な創作活動の様子は『情熱大陸』にも取り上げられ、大きな反響を呼んだ。また、リニューアルオープンしたニューヨーク近代美術館（MoMA）にも作品が常設展示されるなど、戦後日本を代表するアーティストとして唯一無二の評価を受けている。

絵を描く過程が好き

右近　（スタジオ内に置かれている作品を見回しながら）田名網さんの作品には、独特のパワーがあるというか、どの作品からもものすごいエネルギーを感じます。作品を生み出すご自身のエネルギー、原動力は何だと思われますか？

田名網　絵を描くことが子どもの頃からずっと好きで、それが変わらなかったということだと思いますね。何かが特別に自分を奮い立たせるわけじゃなく、単に、ほかに比べるものがないくらい絵を描くことが好き。その一点だと思います。そもそも僕は、漫画家になりたかったんです。子どもの頃は手塚治虫さんの漫画が大人気で、手塚さんに憧れて漫画ばかり描いていました。でも親は、僕が絵を描くことに大反対。それで、美術学校を出て就職でもすれば許してくれるだろうということで、仕方なく漫画をやめて美術学校に入りました。

右近　ご家族は、なぜ絵を描くことに反対していたんですか？

田名網　絵では食べていけないじゃないですか。だいたい当時は、映画やテレビドラマに出てくる絵描きといえば、飲んだくれで貧乏で、ろくでもない役柄でした。うちの母親は、テレビを見ていて絵描きが出てくるシーンがあると、僕を呼ぶんです。「あんたは、いずれこうなるんだよ」と。親戚にも「親不孝するんじゃない」と怒られたり、とにかく絵を描いていること自体に罪悪感があるような時代でした。

右近　そんな罪悪感を持ちながらも、田名網さんは絵を描きたいと思われたわけですね。周囲の反対と、自分がやりたいことに対する情熱の摩擦が〝美しい〟んだなと、今お話を伺っていて感じました。絵を描くことのどういうところがお好きなんですか？

田名網　絵にはたくさんの要素があるからね。色々な選択肢の中から、「今度はこの技術を使ってみよう」とか「こういう線を引こう」「ここは原色で描こう」というふうに、自分で選んで進めていく工程全体が好きです。絵描きには「過程が好きな人」と、完成したものがどういうふうに世の中に出て、どうなっていくかに興味を持つ「結果

が好きな人」の2種類がいるんです。僕なんかは、完成しちゃったら自分の作品でもあまり関心がなくなるから、「この絵だけはアトリエに置いておきたい」というようなこともないんですよ。

右近　毎日どういうスケジュールで過ごされているんでしょう?

田名網　朝起きて、ご飯を食べて、その辺を散歩して、仕事場に来て、絵を描いたり、頼まれている仕事をやったりして、帰る。もう何十年もそういう生活をしています。だから、全然変化のないつまらない人生ですよ。絵を描くことが趣味であり、それで生活もしているから、メンタルの面では、趣味と実益が非常に一致した楽しい人生だとは思うけどね。

右近　描きたくない時は、どうされているんですか?

田名網　**描きたくない時は、ない。**逆に、描かないと落ち着かないというかね。向こうの奥の部屋に、ピカソの模写を300点くらい置いているんですよ。

右近　廊下にも置かれていますよね。さっき、ちらっと拝見しました。

田名網　あれは全部、この2年くらいの間に描いたものなんです。コロナで色々な展示が中止になっちゃって、時間がめちゃくちゃできたんだけど、何かを創作する意欲があまり湧かなくてね。そんな時に、昔、ピカソの母子像ですごく好きな絵を模写したことを思い出して、もう1回模写してみたら、精神的に落ち着くというか、すごく気持ちが楽になった。それで面白くなって、どんどん描いていったら、300点くらいになったわけ。で、これは何だろう?と考えたら、一種の写経なんだなと。僕は昔、写経をしていたことがあるんだけど、何も考えずにただ模写していると、その時と同じような精神状態になるんです。お陰で、このコロナの2年くらい、すごく気持ちが楽でしたよ。

右近　本当に一貫して、絵を描くことがお好きなんですね。子どもの頃から映画もお好きだったと伺っています。僕の母方の祖父は、映画俳優の鶴田浩二なんですよ。僕が生まれた時にはすでに他界していたので、僕は会えていないんですが。

田名網　そうなんですか。言われてみれば、ちょっと似ているよね。僕が子どもの頃は、映画が唯一の娯楽といっていい存在で、映画館に行くことが最大の楽しみでした。鶴田浩二さんの映画は、任侠物も含めてほとんど観ているんじゃないかな。

戦争と映画の記憶

右近　海外の映画もご覧になっていたんですか？

田名網　観ましたよ。戦後しばらくは、「アメリカはこんなに素晴らしい国だよ」ってことを宣伝する映画ばかり上映されていたんです。小屋主が自分で買いたい映画を選ぶなんてことができない時代だったし、敵国だったアメリカを憎んでいる人が大勢いましたからね。アメリカの豪華な生活が映っているものとか、ヒーローものとか、とにかくアメリカに都合の悪い映

画は一切やっていなかった。

右近　戦後間もない日本で、そういうアメリカ映画を観た人たちには、色々な思いがあったんじゃないでしょうか。

田名網　そうだと思います。僕は、目黒駅の近くにあったちっぽけな映画館にしょっちゅう通っていたんです。中学生くらいの時に、そこで映画を観ていたら、特攻隊の格好をした人が隠し持っていた日本刀で、いきなりスクリーンをめちゃくちゃに斬ってしまった。今だったら、すぐに上映を止めるだろうけど、小屋主はそのまま映し続けて、みんな黙ってそれを最後まで観ていた。ひらひらと垂れ下がったスクリーンの残骸に映る、アメリカ映画を。特攻隊の格好をした人は、そのままどこへ行ったかわからないんだけど、アメリカに対する憎しみが爆発したんじゃないかと思います。すごい時代でしたよ。

右近　その光景自体が映画のワンシーンみたいです。特攻隊といえば、祖父は特攻隊の整備士だったらしくて。いつも仲間を送り出してばかりいる整備士には、自分も特攻隊員になりたいと願い出る人が多かったそうで、祖父もその一人だったとか。ところが、出撃する予定だった8月15日に終戦を迎

NOMURA
Fellowes.
703

art
PAUL McCARTHY
DRAWING

えて、飛び立てなかった。祖父は生涯、そのことを悔いていたそうです。

田名網　そうでしたか。

右近　でも、別のところから聞いた話では、「鶴田浩二は戦後の映画界に必要不可欠な存在だ」ということで、出撃させないことになっていたんだとか。それで本人を納得させるために、出撃予定日を8月15日にしたと。上層部は、その頃には戦争が終わることがわかっていたらしくて。祖父本人はその話を知らないまま亡くなりました。僕はこの話を聞いて、祖父は生かされている存在だったんだ

など、改めて感じたんです。田名網さんは、戦争をどんなふうに捉えていらっしゃるんでしょう?

田名網　僕が戦争を体験したのは小さい頃だったから、戦争はこうだったというような論理的なものはないんです。ただ、防空壕の中にいても肌が真っ赤に焼けるくらいの爆弾の熱風を、母親が濡れたタオルを体に貼り付けて防いでいたとか、そういう五感の恐怖の記憶はすごくあるし、周りの様子から、これは普通の状態じゃないんだなとは感じていました。僕が住んでいた目黒の家の周りは、一面の焦土だったからね。絨毯爆撃というのがあって、B29が100機くらい編隊を組んで飛んで来て、どんどん爆弾を落とすから、そこいらじゅうが焼けてしまって。

右近　すさまじいですね。

田名網　飛行機の編隊が去った後、防空壕を出て家に帰るんだけど、道端には焼けただれた人が何十人といたり、血だらけの死体が山積みになっていたりするわけ。僕が見ないように、母親がタオルで僕の目を押さえるんだけど、隙間から見えちゃうじゃないですか。普通の子どもが経験する世界を、遥かに超えたものを見ていたわけで

すよ。だから、僕が描いているもののの根底にある過去の記憶の大半は、戦争の記憶なんです。そのくらい衝撃が強かった。

右近　想像もできないです。

田名網　戦争をくぐり抜けてきたというのは、その人間にとって、カウンセリングとかリハビリを受けないと頭がおかしくなっちゃうくらい、大変な体験なんです。でも戦後の日本には、そんなこともないまま占領軍が入ってきて、それまでとはまったく違う民主主義の世界になった。だから政府は隠していたけど、それに対応できずに精神を病んでしまう子どもや大人が大勢いたわけ。生き残れたとしても、戦争というのは、それくらい人生を左右するものだと思いますね。

右近　田名網さんご自身は、戦争という経験がなかったら、どのような人生を送っていたと思われますか？

田名網　今とまったく違っていたんじゃないかな。描いている作品とか、進んできた道も。戦争を経験したことによって、僕の記憶の膨らみができたことは確かだし、そういう強烈な体験をしたというこ

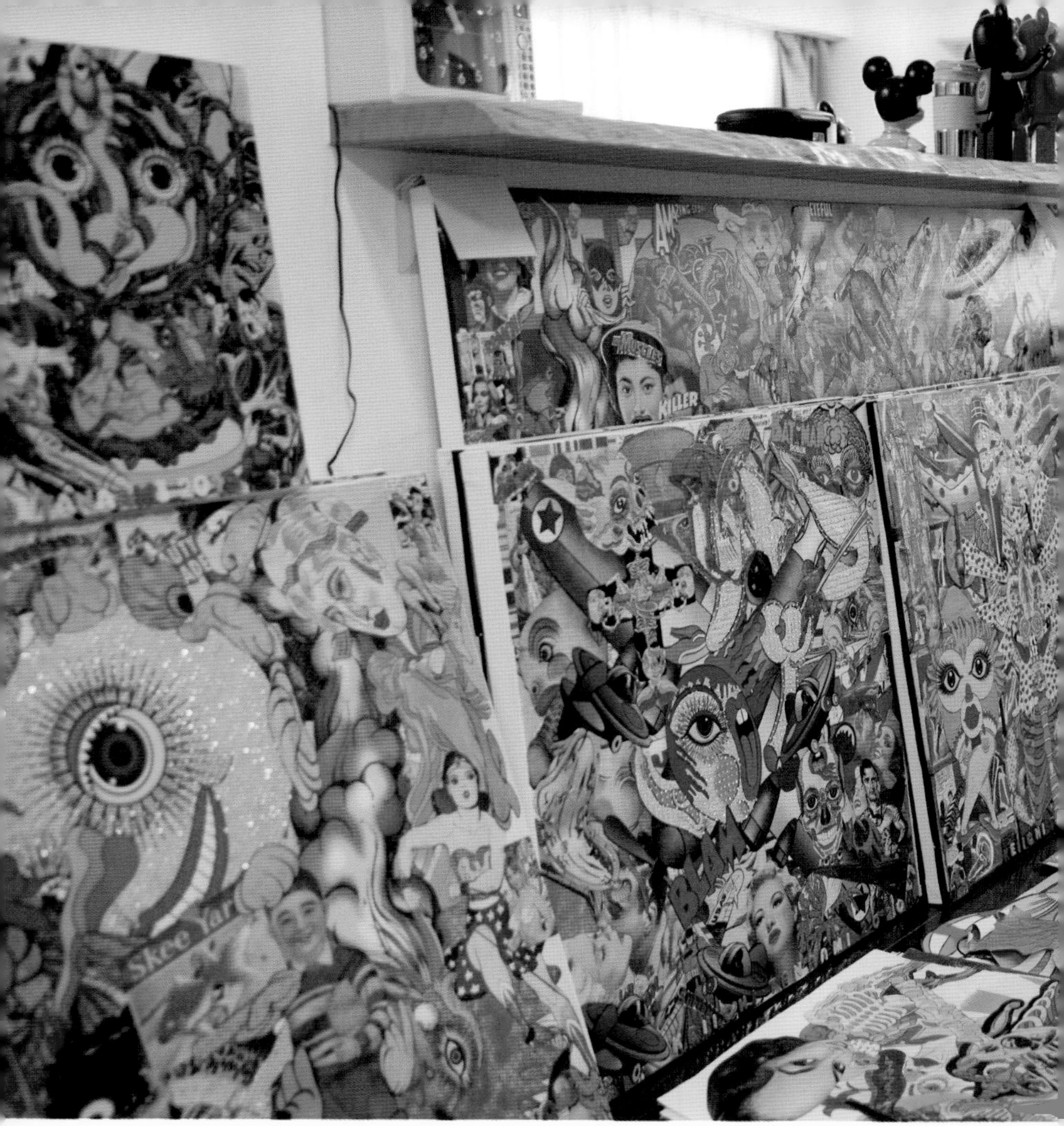

とは、表現者としては強いじゃないですか。そういう意味では、得をしたって言うとおかしいけど、よかった気がしますね。

右近　表現していく上では、ありとあらゆる経験が糧になるというか、悲しいことや辛いことも、プラスに転じさせたり、別の形として昇華させることができるのが表現なんだと思います。僕は、戦争を経験した世代の歌舞伎の先輩方の舞台を映像で拝見していると、得も言われぬ結束力のようなものを感じるんですね。何か一つの、とてつもなく大きな出来事を共有した世代だからこそ生まれる、連帯感のようなものがあるんだろう

なと。

田名網　それはあるかもしれませんね。

右近　肉体的な危機感は比較にならないとは思うんですが、僕らの世代の歌舞伎役者も、今のこのコロナ禍を自分たちの情熱を確認するチャンスに変えて、みんなで乗り越えたという共有意識を、これからの歌舞伎に反映していかなくては。手垢のついた表現ではありますけど、**ピンチをチャンスに変えたいな**と、そんなことを思います。

大切なのは想像力

右近　田名網さんの色彩感覚は、どこで培われたものなのですか？　子どもの頃にご覧になっていた映画は、モノクロだったと思うのですが。

田名網　確かにモノクロだったと思います。でも、僕が当時の映画館の情景を思い出す時、それは決まってカラーなんです。自分でも不思議なことに、僕の頭の中では全部カラーで観ていたわけ。

右近　えっ、カラーで？

田名網　子どもの時に『蒸気船ウィリー』というディズニーの短編アニメーション第1作を映画館で観たんだけど、それも後になってモノクロ作品だと知るまで、僕はカラー映画だと思っていたんです。だから、自分が観てきた色々な映画が、当初はモノクロで、途中からカラー映画になったという認識もほとんどないの。僕の中では最初から、ずっとカラーで観ていたから。

右近　すごい！　実際の色彩を上回る想像力！　無意識のうちに、想像力で色彩を補っていらしたわけですね。田名網さんが入院中に見たという幻覚の話もお聞きしたいと思っていたんです。45歳の時に大病を患われたとか。

田名網　胸に水が溜まる胸膜炎という病気で、4カ月ほど入院しました。寝る前に強い注射を打つんだけど、そうすると夜半に高熱が出て、ベッドの足下の壁に幻覚が映るんです。誰かがお見舞いで持って来てくれたサルバドール・ダリの画集の影響なのか、毎夜、毎夜、ダリが住んでいたスペインのポルト・リガトという入り江の景色が現れる。それが苦しくて、怖くてね。熱にうなされて、病室の窓の向こうにある松の大木がぎゅーっと曲がるのも恐ろしかった。ほかにも色々見ましたよ。朝起きると平熱になっているので、そういったものを退院したら描いてみようと思って、スケッチしました。創作に結びつけることで、自分を元気づけていたところもありますね。

右近　大病をされたご経験や幻覚のイメージも、やっぱり創作に昇華されているんですね。田名網さんが作品を作る時に、いちばん大切になさっていることは何ですか？

田名網　想像力かな。だから観る人も想像力を使って、好きに観てほしいんだけど、日本人には、何が描かれているのかを気にして、想像力で絵を観ない人が多いよね。美術館へ行っても、音声ガイドを聴きながら観ている人がたくさんいる。子どもの時に受ける教育が影響している気がしますね。

右近　大事ですよね、想像力って。僕らがやっているお芝居の世界も、演じ手の想像力と、観る側の想像力があってこそ成り立つもの。特に、お能のように削ぎ落とされた表現では、想像力がより必要になってくると思います。

田名網　そうでしょうね。ところが、新聞社のアンケートなんかを見ると、中学校の先生や生徒の80～90％が、大事なのは「考える授業」より「暗記する授業」だと答えているんです。なぜなら、暗記する授業のほうがテストでいい点が取れて、入試にも役立つから。

残り10〜20%の「考える」グループには、もしかしたら、歌舞伎の世界に行く人や、絵を描いたり、音楽をやったり、小説を書く道に進む人がいるかもしれない。ただ、そういう人たちの学校での成績は、必ずしも良くなかったりするからね。それで、ますます暗記する教育に重きが置かれて、想像力が欠如していっちゃうわけ。

右近　僕も学校の成績は、必ずしも良いほうじゃなかったなあ（笑）。日本の世の中に、人と違うことが恥ずかしいと思わせるような空気があることも問題だと思います。そのせいで、〝自分が思ったようにやる〟という勇気が育まれな

かったりするんだろうなと。

田名網　そうだね。美術の授業でリンゴの絵を描く時、日本では最初に、セザンヌやルノワールなどの有名な画家が描いたリンゴの絵を生徒に見せるんですよ。それでみんな、そのイメージに引きずられて、同じような絵を描いちゃう。でもアメリカなんかでは、個人の自由意思を尊重する教育をしているから、参考作品を見せちゃいけないことになっているわけ。だから生徒たちが描く絵も、他人に左右されずに、それぞれ違ったものになる。日本の教育が、いかに子どもの想像力を潰しているかということですよ。日本から世界的な芸術家がそんなに出ていないのも、その辺に問題がある気がするね。

右近　日本には「出る杭は打たれる」なんて諺《ことわざ》があるくらいだから、大人に諦めてもらえるだけの情熱と忍耐力を持った子どもだけが、突き抜けていけるんでしょうね。そういう意味で、僕は自分のことを「打つことを諦めてもらうことを待つ杭」だと思っているんです。「自分が思ったことをやろう」という人がもっと増えていくように、出る杭としては、ぐいぐいと出続けていきたいと思っています（笑）。

田名網　いいですね（笑）。絵の世界でも、美術学校を出た人で成功している人は、割合から言えば少ないんですよ。固定概念みたいなものでがんじがらめになって、それとの闘いで終わっちゃう人が少なからずいて。

右近　そもそも芸術って、教えてもらうことじゃなかったりしますよね。

田名網　そうだよね。教えるったって、教えられないよ。

右近　いっそのこと美大では、「美術は教えるものじゃない」ということを教えたらいいんじゃないでしょうか……なんて、調子に乗って生意気なことを言ってしまいました（笑）。ずっと第一線で日本の現代アートを引っ張って来られた田名網さんは、後輩の方たちや大学院での教え子の皆さんを、どんなふうにご覧になっていますか？

田名網　僕は、年齢で区切って考えるのはあまり好きじゃないのね。年が違うだけで、同業者だと思っているから。たとえば、佐藤允《あたる》という作家は僕の生徒の一人だけど、生徒という意識は全然なくて、電話で1時間も2時間も話をするし、ほかの生徒もそうだけど、一緒にお酒を飲みに行ったりもする。話しているといろんな刺激を受けるし、僕自身も勉強になるからね。

要するに、年の離れた友人という関係ですよ。

右近　素敵ですね。歌舞伎の世界で、僕らが80代の先輩に〝年の離れた友人〟なんてスタンスで関わろうものなら、きっと周りの人間が黙っていないと思います。「そんな生意気は許さん！」って。先輩自身は何とも思わなくても、周りはどうしたって「うちの師匠を守らなければ」という意識が強いですから。結果的に、周りで支えている人たちが、先輩を孤独にさせてしまっているのかもしれないなと感じることがあります。

田名網　そういうことはあるだろうね。

右近　僕は、先輩に芸を教えていただくことは、先輩が人生をかけて磨き上げてきた芸を受け継ぐ儀式でもあると思っているんです。なので、教えていただく時は、尊敬の念と愛情を持って臨んでいます。たとえば、師匠の菊五郎のおじさま★1（七代目 尾上菊五郎）に教えていただく時は、おじさまとその芸への尊敬と愛情を思い切り注ぎながら教わる。そうすると、おじさまにもそれが伝わって、本当の意味で教わっているなと感じる瞬間がたくさんあるんです。

田名網　おじいさんが鶴田浩二さんということは、右近さんは歌舞伎の家の出ではないの？

★1　七代目 尾上菊五郎／1942（昭和17）年生まれ。七代目 尾上梅幸の長男。菊之助時代から人気を博し、主演を務めた1966年のNHK大河ドラマ『源義経』で共演した東映スター藤純子（現・富司純子）と1972年に結婚。翌年、菊五郎を襲名。江戸の粋を体現し、「尾上菊五郎劇団」を率いて江戸歌舞伎の世話物を今日に伝える。長女は寺島しのぶ、長男は五代目 尾上菊之助。
写真提供：松竹株式会社

右近　そうなんです。でも、これまたややこしいんですが、僕の父方の曽祖父は六代目 尾上菊五郎でして。

田名網　じゃあ、（歌舞伎俳優の）血は流れているんだ。

右近　はい。ただ、その曽祖父の娘、僕から見ると父方の祖母が、清元という歌舞伎音楽の家元と結婚して、そこで生まれた僕の父が、今の清元の家元なんです。だから本来であれば、僕は清元を継がなければならないんですが、どうしても歌舞伎役者がやりたくて、役者の道に進ませてもらいました。でもその後、清元のほうもやっていいよということになって、どっちもやらせてもらっているんです。

田名網　そういう人は結構いるの？

右近　今のところ、僕以外にいません。今は「二兎を追う者は一兎をも得ず」ということでもないのかなと思うし、中途半端は良くないけれども、可能性があることはすべてやってみることを良しとする風潮もありますよね。どちらもやらせてもらっている身としては、その風潮に拍車をかけたいし、〝可能性〟というものを新たな伝統にしていくことも一つの役割なのかなと感じているんです。「あいつが役者も歌もやれているんだから、俺は画家と役者の二刀流で頑張ろう」というふうに、可能性が広がっていったらなと。それは人一倍大変なことかもしれないけど、その分、喜びや面白いことも人一倍ありますから。

田名網　いいですね。絵の世界もいまだに結構保守的だから、絵を描くことが王道とされていて、いろんなことをやる人は、どちらかと言うと邪道で好まれないところがあるんですよ。僕なんかは、絵だけじゃなく、アニメーションとか、映像とかデザインとか、いろんなことをやってきたから、若い頃は「一体何者なの?」というようなことをよく言われました。自然の流れでたまたま色々なジャンルのことをやるようになっただけだし、気にせず関係なくやっているうちに、何も言われなくなったけど。

相手の気持ちになる

右近　田名網さんは、ファッションブランドとか、音楽のアーティストさんとのコラボレーションもたくさんされていますよね。そういうお仕事の時は、どんなことを心がけていらっしゃるんですか?

田名網　しいて言うなら、〝相手の気持ちになって作る〟ってことでしょうね。たとえば、この前、八代亜紀さんのデビュー50周年記念のアートワークをやったんですよ。ベスト盤★2のジャケットとか、全部。その時も、八代さんの気持ちになって作りました。八代さんがさぞかし喜ぶだろうというものが、いちばんだからね。アディダスだったら、アディダスを買う人たちが喜ぶだろうなってものを提供

★2　八代亜紀デビュー50周年記念のベスト盤『八代亜紀ベストヒット50』(TYCT-60178)。テーマ別にセレクトされた50曲を4枚組CDに収録(特典DVD付き)。「なみだ恋」「舟唄」から「残酷な天使のテーゼ」や「FLY ME TO THE MOON」まで、濃密なリストにふさわしいジャケットアート。

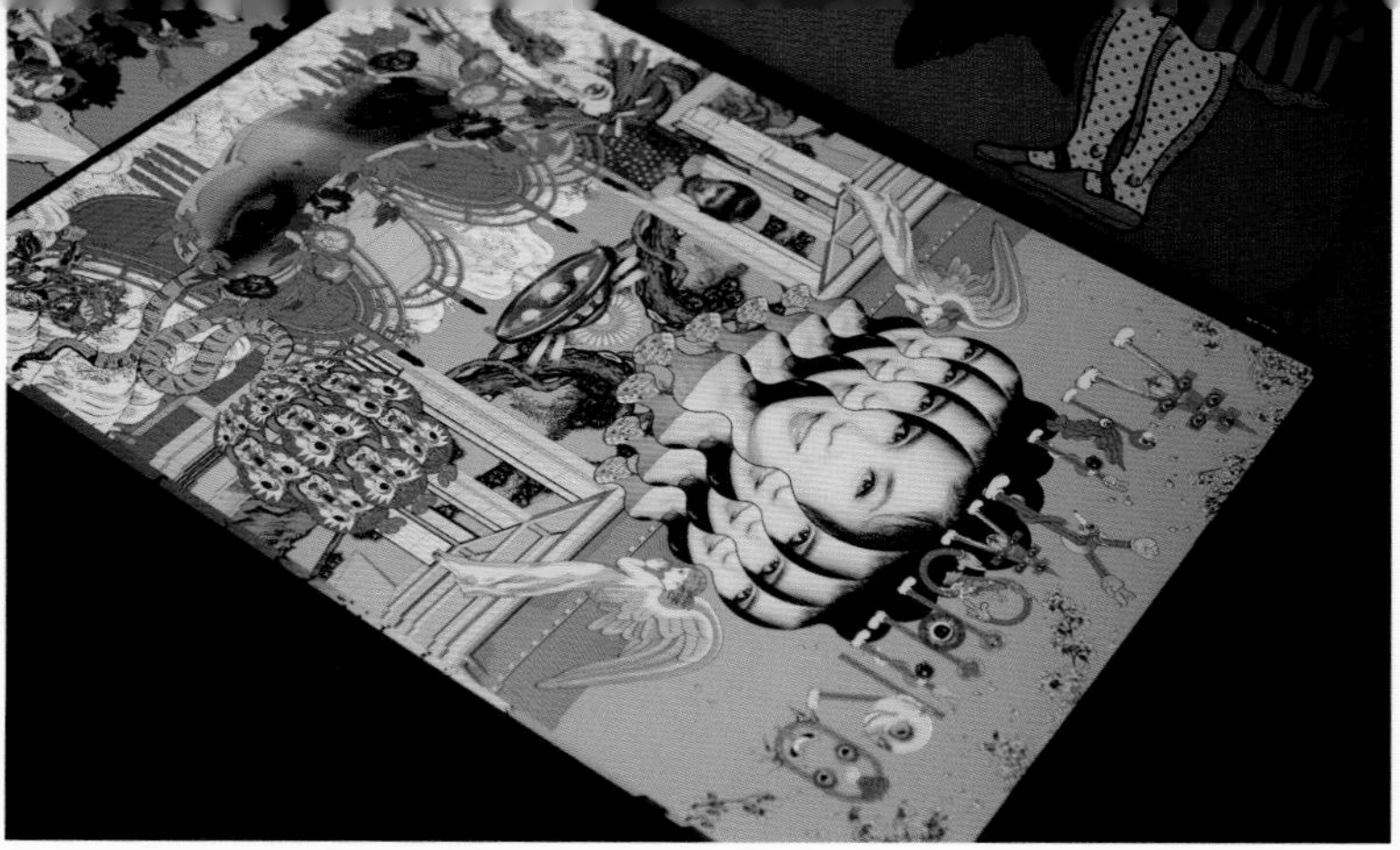

する。そういう時のアイデアは、だいたい打ち合わせをしている時に決まっちゃうんですよ。頭に映像として浮かんでくるからね。

右近　すごいですね。僕は、歌舞伎と何かでコラボをしようという時、まだどうしても、歌舞伎をアピールしたい情熱のほうが勝ってしまって。相手を引き立てるとか、融合というよりも、ぶつかりたい気持ちのほうが強かったりします。

田名網　でも僕も30歳くらいの時は、もっと自分自身を強く出そうということに力点を置いていたと思うよ。年齢とともにそういうものがだんだん消えていって、いいものを作ろうというふうに変わってきたんだろうね。若い時はもっと生々しいから。

右近　いくつくらいで落ち着くんでしょう？　やっぱり80代になると、何事も達観できるようになるものですか？

田名網　いやいや、僕だってまだ何もわからないし、何かが完成したとも思っていない。精神的には、35歳くらいで止まっている気がしますね。

右近　なるほど。それで、そんなにお若いのですね。今日は、たくさん刺激とエネルギーをいただきました。ありがとうございました！

3 エリイ（Chim↑Pom from Smappa!Group）

BLACK

社会が抱える諸問題や、場所の記憶や歴史にクリティカルな視点で切り込み、独創的かつメッセージ性を持った数々のプロジェクトを手掛けてきた6人組アーティストコレクティブ「Chim↑Pom from Smappa!Group」。エリイ氏は、そのメンバーとしてラディカルに活躍するアーティストだ。油性塗料の匂いが立ち込め、金属パイプの音が響き、溶接火花が散るスタジオに、新鮮な驚きと興奮の色を隠せない右近。さて、二人の間には、どんな接点が……？

エリイ　Ellie

アーティストコレクティブChim↑Pom from Smappa!Group（2022年4月27日にChim↑Pomより改名）のメンバー。社会問題やそのシステムに対し独自の視点から現代のリアルを提示、都市論を展開する。国際的に活動し、各国の国際展、ビエンナーレに参加。プロジェクトベースの作品は、ソロモン・R・グッゲンハイム美術館、ポンピドゥ・センターなどにコレクションされている。著書に『はい、こんにちは—Chim↑Pomエリイの生活と意見—』（新潮社）。

こんな職業があるんだ！

右近――スタジオで作品を解説していただいてありがとうございました。一見過激だったりするけど、Chim↑Pomの皆さんは〝ちゃんと見て伝える〟ことを真剣になさっているんだなと感じました。何かこう、都市とか歴史が形になって残っているものを、アートという言葉で伝えているというか。

エリイ――見ていただき、ありがとうございます。さっき説明させていただいたプロジェクトは、ビルを丸ごと使った作品です。取り壊される前の歌舞伎町商店街振興組合ビルで展覧会を行ったのち、その中に設置した制作物ごと取り壊して、作品を回収したものです。私たちが活動をしていることは多岐にわたっていて、事象を相手にしている作品もあります。たとえば、渋谷の街や国会議事堂前にカラスを呼び集める映像作品があります（《ブラック・オブ・デス》、２００７年）。カラスって仲間意識が強いんですよね。その性質を使って、カラスの剝製を

持って拡声器で鳴き声を流しながら、バイクに乗ってカラスと同じスピードで走ると、「仲間が人間に捕まってる！」みたいな感じで集まってくるんですよ。カラスって頭が良くて、「あ、人間が何かやってる」ってすぐに気づくので、何回もできないんです。最初にその映像作品を撮ったのは２００８年ですが、最近は都市でカラスが減っているので、前のようには集まってきません。

右近――へえ！　面白い！

エリイ――さっきスタジオで作業していたメンバーの稲岡（求）が、断食して自分の身体を使って〝彫刻〟したり（《Making of the 即身仏》、２００９年）、原発事故が起きた年の秋に、同じくメンバーの水野（俊紀）が福島第一原発の収束作業員として２カ月間アルバイトをして、写真作品を作ったり（《レッドカード》、２０１１年）。展覧会場で場所性に特化したライブやイベントも行ったりしています。

右近――すごいなあ、まさに身体を張ったプロジェクトも展開されているんですね。

エリイ――メキシコの国境で、米国に入国できない人たちと行ったプロジェクト「ジ・アザー・サイド」では、国境の壁を自分の家の壁の一部分として住んでいる家の子どもたちと《USAビジターセンター》っていうツリーハウスを作りました。私自身もアメリカに入国できないのでそこから展開していきました。ほかには、カンボジアの地雷原で、地元の人と一緒に地雷撤去作業をして撤去した地雷で、私物のルイ・ヴィトンのバッグやプリクラ帳などを爆破して、日本に持って帰ってチャリティオークションにかけて、収益を全額カンボジアに寄付するという作品もあります（「サンキューセレブプロジェクトアイムボカン」）。

右近――そういう海外でのプロジェクトの場合、間に

入ってくれる団体があったりするんですか？

エリイ――今言った二つは、自費で現地に行って「こんにちは」と話しかけました。機関を通すと人との距離が遠くなってしまうので、自分たちで直接コミュニケーションをとっています。一方で、2019年に「マンチェスターインターナショナルフェスティバル」でコレラを題材にしたプロジェクトを行ったのですが、これは地元のヤングキュレーターたちからのお誘いでした。こういう場合は、アイデアは自分たちで出しますが、場所のリサーチなどは一緒に進めていきます。

右近――アイデアだけじゃなく、その行動力にもびっくりです。メッセージ性を感じるものが多いですけど、エリイさんは昔から社会問題に興味があったんですか？

エリイ――そうですね。私が幼稚園から高校まで通った一貫校が、戦争や社会問題に関する教育を日常に取り入れていたので、私は〝社会〟を自分ごととして捉えるようになりました。私の時は、小学校で水俣病をはじめとする公害病を学んで、中高でＨＩＶとＡＩＤＳについて、小中高にわたって平和教育が行われていて、修学旅行も長崎でした。そういうことが、今やっていることに結構影響している気がしますね。社会の責任を担っているというのが、常に考え方の軸にあります。

右近――でも、同じ教育を受けた同級生みんなが、それを表現に昇華しているわけではないですよね。エリイさんは、どうして現代美術の道に？

エリイ――高校生の時に美術の先生が授業で、横浜トリエンナーレに連れて行ってくれました。そこで現代美術に出会って、「えっ、頭の中で考えていることを形にする、こんな職業があるんだ！」って、びっくりしたんです。

もともと絵を描くのは好きだったし、高校では美術を選択して、美大にも行ってるんですけど、最初に「こんな職業が!」と思ったことがいちばん大きいですね。それと、Chim↑Pomのメンバーと出会ったことに感謝しています。別に仲良しで集まった6人じゃないんですよ。稲岡と私は、現代美術がなければ一生話すことはなかっただろうなって思います。

右近——なんとなく、わかる気がします（笑）。Chim↑Pomは、どうやって出会った人たちなんですか?

エリイ——現代美術に出会ってからは、ギャラリーに遊びに行くようになりました。そこで知り合った若者同士で飲んだりするようになって、その中でチームを組んで、今に至る感じです。

右近——ずっと同じメンバーで活動しているんですか?

エリイ——2005年に結成して以来、ずっと一緒です。メンバー6人は全然タイプが違っていて、それこそが〝社会〟だなって私は思ったんですね。それぞれに異なるメンバーの中で一つ共通しているのが、〝現代美術が面白い〟と考えていること。だから一緒に作品を作っているんです。

自分の魂が震えるか、震えないか

右近——メンバーとどうやってアイデアを共有しているんですか?

エリイ——いいアイデアを思いついたら、とりあえずメンバーにLINEしたり、電話で話したり。あとは週に1回、Chim↑Pom会議を開いています。みんなで話している時に、作品の考え方、真髄みたいなものが、度を超えて光ることがあるんですよ。何かこう、光る玉が浮かぶ、みたいな。そんな瞬間があったら、やめられないじゃないですか。そういうところまでいつも持っていきたいなと思って、制作しています。

右近——光る玉か。カッコイイなあ。

エリイ——でも全員、怠け者なんです。コロナ禍では、《May, 2020, Tokyo》★という作品を作ったんですけど、基本的には、休みたい、ダラつきたいという感じ（笑）。で、展覧会が迫ってくると、やるしかない、みたいな（笑）。

右近——なるほど（笑）。じゃあ、作品を作るいちばん大きい目的は何ですか？　作品や活動で、いちばん伝えたいものは？

エリイ——私に関して言えば、自分の中に〝時間軸〟への視点みたいなものがあって、その中で「今ここで作品を作っておかないと」という気持ちになるんです。だから、「アート作品を作る」という以外の目的があるわけじゃないし、そもそも他者に何かを伝えたいというよりは、

★　個展「May, 2020, Tokyo / A Drunk Pandemic」（ANOMALY、東京、2020年）の展示風景より。
Photo: Kenji Morita Courtesy of the artist and ANOMALY

エコフラット
60
芝の目土・床土

アートの視点から見て自分の魂が震えるか、震えないかが大事です。魂を削って作ってます。

右近――人がどう思うかということは、あまり考えない？

エリイ――そうですね、観客が人間である以上、メンバーと作品について、こういう見方があるよね、という話はするけれど、それよりも大切なことがある。人の意見って、そりゃそうですけど、環境によって変わるものと捉えています。

右近――面白いなあ。たぶん、そこがエリイさんと僕のいちばん遠いポイントだと思います。僕の場合は、人がどう思うかを考えることが、自分が何を思うかと同じくらい大事だったりするので。最近は、自分のために歌舞伎をやるという感覚もどんどんなくなっているんです。僕は3歳の時に曽祖父（六代目 尾上菊五郎）が踊る『春興《しゅんきょう》鏡獅子《かがみじし》』の映像に魅せられて、歌舞伎に求められたいと思いながら、ずっと歌舞伎を求め続けてきたんですけど、去年（2021年）くらいから歌舞伎に求められ始めたような感

じがあって。人間、ずっと求めてきた大事な人に求められたら、その人のために何だってやろうと思うじゃないですか。なので、最近は「歌舞伎に生きてます」と胸を張って言えます（笑）。

エリイ――歌舞伎に求められる感覚、というのは震えますね。私も歌舞伎、好きなんです。おばあちゃんや親に連れられて、小さい頃から観ていて。特におばあちゃんは歌舞伎が大好きで、私が付き添うような感じで、亡くなるまで毎月のように歌舞伎座に行っていました。だから歌舞伎は間違いなく、私の血肉になっていると思います。

右近――そうだったんですね。エリイさんはすごく自然で、きっと子どもの時からずっと変わっていないんだろうなと感じるんですが、家族の中ではどういう存在だったんですか？

エリイ――親は戸惑ったみたいです。子どもの時から私だけ異様に活発で「なんで一人だけこうなった？」って（笑）。妹も生まれてきて、物心つく頃には「え？ 姉……」みたいな。でも、生きてるんで受け入れるしかないし、私も自分だけ違うことを特に気にしないタイプだったから、そのまま育ちました。大変だったかもしれないけど、育てがいがあったのではないかと勝手に思っています。そんなことを言ったら「冗談じゃないわよ！」って母親に怒られる光景が浮かびます（笑）。

右近――わかる気がします。僕も家族に「なんでこうなった？」って言われて育ったタイプだから（笑）。

エリイ――私には今1歳の子どもがいるんですけど、見ていると、持って生まれた性格というのは確実にあるなって感じますね。何かをどう加味してもブレない基本の特性というか。そこに環境がどう影響するかについても興味がありますが、日々の積み重ねでしかないのかな、と思います。

右近――エリイさんご自身は、結婚やお子さんを持ったことで何か変わりました？

エリイ――結婚では特に変わらなかったけど、子どもを産んで変わりましたね。命を目の当たりにするというか、自分がしっかりしないと死んじゃうかもしれない存在を、日々相手にしているので。たとえば、私は廃墟に行くのが超好きで、前は自分で扉とか開けてガンガン入ったり、崖の先端ギリギリまで行ったりしていたんですけれど、今は「やめておこう。私は死ぬわけにいかないし」って思うようになりました。

夢は、だいたい全員で満足して暮らすこと

右近――なるほど。そういう変化への戸惑いみたいなものも、作品に繋げたりしていますか？

エリイ――文章には結構、反映させるようにしているかもしれない。最近、文章を書いているんです。編集の方が「書いてみましょう」と言ってくれて、文芸誌で書かせてもらっているんですけど、「文章って、こんなに自由なんだ」って、改めて感じていて。

右近――もともと書くことが好きだったんですか？

エリイ――いえ、本を読むことは前からすごく好きでしたけど。書くことで、その読み方も変わってきて、今までは一読者だったのに、参加している感じになるんですよ。受動が能動に変わりました。あと私、日本が鎖国していた時代の漂流記が大好きで、それを調べていくことにずっとハマっているんです。それこそ、歌舞伎座で観ましたよ。

右近――漂流記……あ！　三谷幸喜さんが漫画を原作に作・演出された『月光露《つきあかり》針路《めざす》日本《ふるさと》　風雲児たち』ですね。

エリイ――そうです、そうです！　母が誘ってくれて、かぶりついて観ました。三谷さんの歌舞伎は大黒屋光太夫

の話でしたけど、船が遭難して遠い国に漂着した漁師たちが、苦労して何年もかけて船で日本に帰ってきた記録がほかにも残っていて、すごく面白いんです。私は、小学校の社会の授業で日本が鎖国していたことを知って、衝撃を受けたんですよね。その後、その時代の漂流記に出会って、すっかりハマっちゃったんです。

右近――へえ！　エリイさんが江戸時代の漂流記にハマっているとは！　そんなエリイさんの今の夢は何ですか？

エリイ――最近の夢は、文章が上手くなることかな。あと、**みんなで幸せに暮らす、というか、みんなで満足して暮らすこと。みんなというのは、家族だけじゃなくて、だいたい全員。**

右近――だいたい全員、か。自分ができることには限りがありますもんね。僕も、少なくとも自分が関わった人は幸せにしたい。そのくらいなら、おこがましくないよねと思っているので、関わった人を幸せにするような歌舞伎をやりたいなあ。

エリイ――右近さんの夢は何ですか？

右近――**3歳の時に観た『春興鏡獅子』をまだ自主公演以外で踊ったことがないので、まずは、それを踊ることですね。**そして、それを自分の代表作にするところまで持っていくこと。『春興鏡獅子』に憧れさせてもらっている身としては、そうやってこの作品に恩返しすることが夢です。もはや、『春興鏡獅子』という宗教に入っている人みたいですけど（笑）。

エリイ――右近さんが『春興鏡獅子』を歌舞伎の本興行で踊る時は、観に行きますね。

右近――嬉しいです。頑張ります。今年（２０２２年）中に絶対やりたいと思っていて……って、自分で公言していこうと思っています（笑）。僕もエリイさんとChim↑Pomの活動に注目していきます。今日はありがとうございました！

4 佃弘樹

佃 弘樹　Hiroki Tsukuda
1978年、香川県生まれ。武蔵野美術大学映像学科卒業。グラフィックデザイナーを経て、2005年にコンテンポラリーアートギャラリーNANZUKAに所属したことをきっかけに、アーティスト活動を開始。2017年に発表した大作がニューヨーク近代美術館（MoMA）に収蔵されるなど、国際的な評価も高い。2019年に群馬県立近代美術館で個展「Monolog in the Doom」、2020年、ニューヨークにて個展「They Live」（Petzel）を開催。

デジタルとアナログを融合させた独自の作風で、海外でも注目を集めるアーティスト、佃弘樹氏。その手法は、パソコンで異質な素材を多元的に組み合わせたデジタルコラージュを作成し、それを手描きのペインティング作品やインスタレーションに落とし込むというものだ。スタジオには、映画やアニメのフィギュアを分解・再構築した立体作品も飾られており、コラージュという表現手法の面白さを実感した右近。様々なものに影響を受けてきた佃氏の言葉にも、大いに刺激を受けた。

破壊するような感覚で描く

右近　（スタジオ内の絵を見回しつつ）カッコイイなあ。この緻密でスタイリッシュな近未来的世

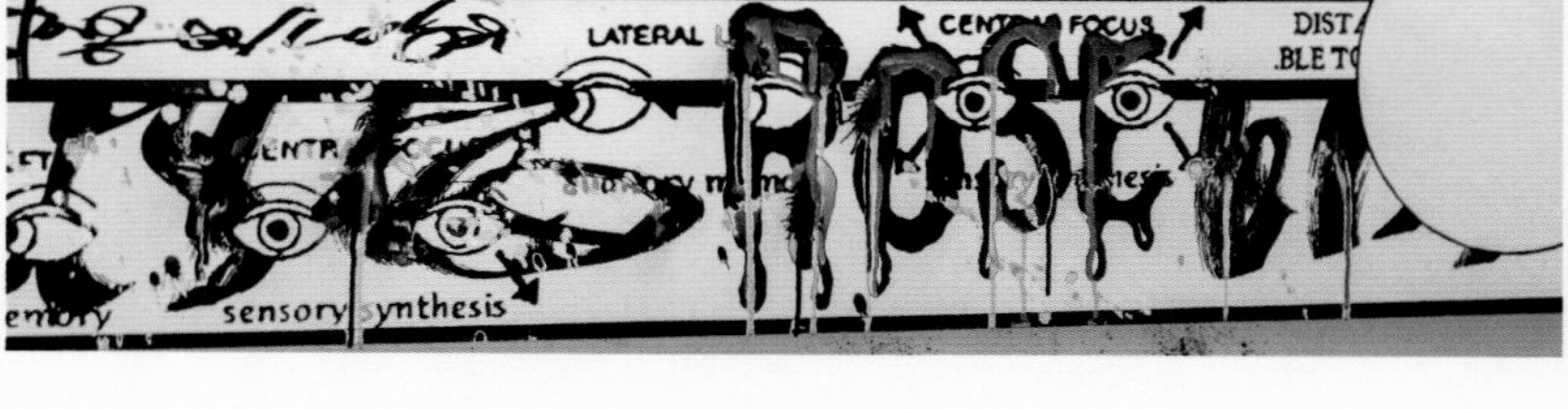

界がインクで手描きされているなんて、びっくりです。

佃　パソコンで作ったコラージュを、手描きで絵に起こしています。もともとグラフィックデザインをやっていたので、それを絵にするにはどうしたらいいか?と自分なりに考えて作った手法で、身体の部分は木炭で描いています。僕は美大には入ったものの、映像学科だったから、絵は独学なんです。以前は、「絵を習っていないこの俺が、アーティストとして絵を売っていいのか?」みたいな思いがあったんですが、今は逆にそれがよかったのかなと。こういう手法で大きな作品を作っている人はいないから、海外に持っていくと興味を持ってもらえるんです。「えっ、プリントでも写真でもないの? 面白いね」って。

右近　海外では、佃さんの絵は水墨画をイメージさせて、日本的だとも言われているそうですね。モノクロで描かれているのは、どういった理由からなのでしょう?

佃　コラージュって、もとは何の変哲もない形のもの同士が、組み合わせによって別のものに見えたりする面白さがあって、その〝形〟の面白さみたいなものを追求していくうちに、こうなりました。でも、微妙に白黒ではないんですよ。紙は黄色っぽいし、実はシルバーとかブラウンとか、いろんな色を少しずつ混ぜたりしているので。自分の中では、白黒をベースに、カラー作品に近いものを作っているような感覚で制作しています。

右近　ああ、本当だ。近くで見るとよくわかります。パソコンの中でコラージュしたものと、実際に描いているものが、違った感じになってしまうことはあるんですか?

佃　逆に、そうしないといけないと思って制作しています。僕は手描きのニュアンスや迫

力が好きで、一度パソコン内で作ったものを破壊するような感覚で絵に起こしているので。パソコンでコラージュしたそのままがいいのなら、それを印刷すればいいわけですからね。アートの世界では「印刷はダメ」なんてことはないんですよ。印刷した新作が数千万円で売れるアーティストもいますから。

右近 印刷したものが数千万円!?

佃 一般的な感覚としては「手描きじゃなくて、印刷じゃん」と思うかもしれないけど、そこには作家が考えた概念が詰まっているわけなので、数千万円でも欲しい人はいくらでもいます。ちなみに、その〝印刷で数千万円〟のアーティストは、僕と同じニューヨークのギャラリーに所属しているんです。「俺、こいつと同じチームでプレイしているんだ」「このチームで結果を出さなきゃ」と考えると、すごいプレッシャーですよ。

右近 ライバルが多すぎますね。そういう状況に比べれば、歌舞伎界はライバルが少ないかもしれないです。役者の数は今、300人くらいですから。

佃 **でも、先人がいるじゃないですか。**「あの人を超えなければ」みたいな存在が。

右近 確かに！　常に比較されるんですよね。しかも過去のイメージは観た人の中でどんどん育っていくから、先人はどんどん強くなっていくんです。

佃 「あの人はすごかった」って、伝説になっていきますよね。アートの世界で言えば、《モナ・リザ》を超えるような作品を今から作るなんて、とても無理だと思う。あれだけ人の念が乗っていたら、もう超えられないですよ。

左：佃弘樹《God Bless The Dead》（2022年）、ミクストメディア
右：佃弘樹《Pearl's Girl》（2022年）、ミクストメディア
©Hiroki Tsukuda Courtesy of NANZUKA

出口の見えないトンネルの先に

右近 佃さんは、子どもの頃から絵が得意だったんですか？

佃 描くのは好きでしたね。ものを作ったり、オモチャをいじって自分で改造するのも好きでした。だから僕の中では、絵画の制作もこういうものを作ることも、やっていることは一緒なんです（と、小型フィギュアのパーツを使った立体コラージュを持ってくる）。

右近 うわ、面白い！ 見たことがあるのに、見たことがない感じ（笑）。部分、部分は知っているのに、全体として見ると印象が全然違う！

佃 改造もコラージュだなと気がついて以降、こういう立体作品シリーズも発表しているんです。自分は、昔から一貫してコラージュが好きなんだなあと改めて思いますね。映画『トイ・ストーリー』に、オモチャを改造する悪ガキが出てくるじゃないですか。あれが、俺的にはすごく悲しかったんです。「すごく悪いふうに描かれているけど、創造的なことをやっているだけなのにな」って。

右近 もともとあったものを想像の世界で作り変えるというのは、すごく創造的なことですよね。フィギュアにしてみたら、「俺、こいつとコラージュされるのかよ」って感じかもしれないですけど（笑）。

佃　そうでしょうね（笑）。自分としては「代わりにカッコイイのを作るから」と思いながら作業しているんですが。ただ、こういうものを作ろうと考えて作っているわけではなくて。素材に触りながら、これ面白いな、こっちのほうがいいかなと手を動かしているうちに、気づいたらできているという感じです。

右近　ご自身が触れてこられた映画や本、漫画といったものが創作活動に与えた影響は、やはり大きいですか？

佃　そうですね。前は年間200本くらい映画を観ていたし、本や漫画を読んだり、音楽を聴いたり、ゲームをしたり……親の仕送りをもらいながら、インドアの趣味を極めていた感があります（笑）。でも、そうやってインプットしてきたものがたくさんあるから、今、アウトプットには困らない。正直アートに関しては、技術的なものよりも、インプットの量や質のほうが大事な気がします。多感な時にどれだけのものを吸収したかで、その人のセンスや考え方が変わってくると思うので。

右近　なかでも佃さんがいちばん影響を受けたものは、何ですか？

佃　作品を見るとわかると思うんですが、SFですね。それこそ『スター・ウォーズ』シリーズをリアルタイムで観たり、『ブレードランナー』を小学生くらいの時に観てすごい衝撃を受けて、海外のSF小説ばかり読むようになりました。ただ海外のSF小説って、オリジナルの難しいSF用語がたくさん出てくる上に、それを和訳しているから、めちゃくちゃ読みづらいんです。それで、だんだん本を読むのが嫌いになってしまって。でも反動なのか何なのか、大学を卒業したあたりから夏目漱石を読み出したら、面白くて。「日本の文章いいなあ」と思って、そこから純文学や芥川賞作家の作品をたくさん読んだり、映画も小津安二郎をはじめ、日本の古いものをどんどん観るようになりました。

右近 日本の古いものにも影響を受けていらっしゃるんですね。

佃 〝間〟とか〝余白〟に関しては、確実に影響を受けていますね。僕は香川県の高松出身なんですけど、祖母が茶道の先生で、家には書の掛け軸や水墨画が飾られていたんです。水墨画って、真っ白なところにちょっとだけ描いてあるじゃないですか。子どもながらに「こういうの、カッコイイな」と思っていました。即興で描く余白の多い作品は、そういう影響で作っているのかなと自分で思うことがあります。

右近 そんなふうに、ご自身が触れてきたものを投影する場として、現代アートに行きついたのは、どういったいきさつで？

佃 消去法なんですよ。そもそも勉強があまり好きじゃなかったので、高校で進路を決める時期に、どうしたものか？と思っていたら、東京に住んでいる叔父さんが亡くなって。葬儀に行くまで僕は知らなかったんですが、その叔父さんは詩人で、髭モジャのおっさんと

か、編集者や作家が会葬に来ていたんです。なんか自由な人たちだな、こういう大人になりたいな、どうしたらそっち方面に行けるだろう？　そういえば俺、美術好きじゃん！と思って、それで美術大学に行こうと決めました。

右近　叔父さんが詩人！　素敵ですね。美大では映像学科だったとおっしゃっていましたが、どんな日々を過ごされていたんですか？

佃　授業にはほとんど出ずに、音楽を作っていました。それから、グラフィックデザインをやったり、漫画を描いたりしているうちに、グラフィックデザインが軌道に乗ってきて、雑誌のページとか、TシャツやCDジャケットのデザインの仕事をするようになりました。でも、クライアントワークがだんだん嫌になってきて、そんな時期にギャラリーを始めたばかりの南塚（NANZUKA代表）に出会ったんです。ポートフォリオを見せたら「アートやろうよ」と言われて、食えるかどうかはわからないけど、そっちのほうが精神的に楽かもなと思って、アーティスト活動を始めました。

右近　すごいですね。結構トントン拍子じゃないですか？

佃　いやいや、アートで食えるようになったのは36〜37歳で、それまでは親に仕送りをもらっていたんですよ。若い頃は「なんとかなるっしょ」と思っていましたけど、出口の見えないトンネルを歩き続けているような感じでした。時々現れる非常口から出ていく人がいて、俺もそうしたほうがいいのかなと思いながらもズルズルと歩いていたら、彼女が妊娠したんです。それで結婚を決めたら、その1週間後にニューヨークの大きなギャラリー

での個展が決まって、作品の値段が一気に10倍くらい上がって。人生、こんなことがあるんだなと思いましたね。

右近　おおっ！　そういうのを〝クオンタムリープ（量子跳躍）〟と言うそうですよ。「突然、飛躍する」みたいな意味らしいです。非常口の話、好きだなあ。僕は、諦めて出て行った人の分まで頑張りたくなるタイプなんです。**あいつが置いていったものも俺が背負って、あいつの分まで走る！　みたいな。完全なるお節介ですけど**（笑）。

佃　カッコイイなあ。俺はとてもじゃないけど人の分まで背負えない。振り返ってみると、大きな飛躍の前にはエネルギーの〝溜め〟が必要なのかなと思いますね。２０１３年頃にスランプに陥って試行錯誤した後にも、作品が大きく変わりました。

新しい概念を生み出す

右近　スランプを経験されたんですか？

佃　昔はもっと景色みたいな作品ばかり作っていたんですけど、どれも似たような構図になってしまって、自分で強引に崩そうとしても上手くいかなくて。それで２０１４年の頭にＮＡＮＺＵＫＡで個展を開いた時に、コラージュの要素を絵の中から引っ張り出して、実際のもので見せるインスタレーションを作ったんです。たとえば、パソコン内に描いた

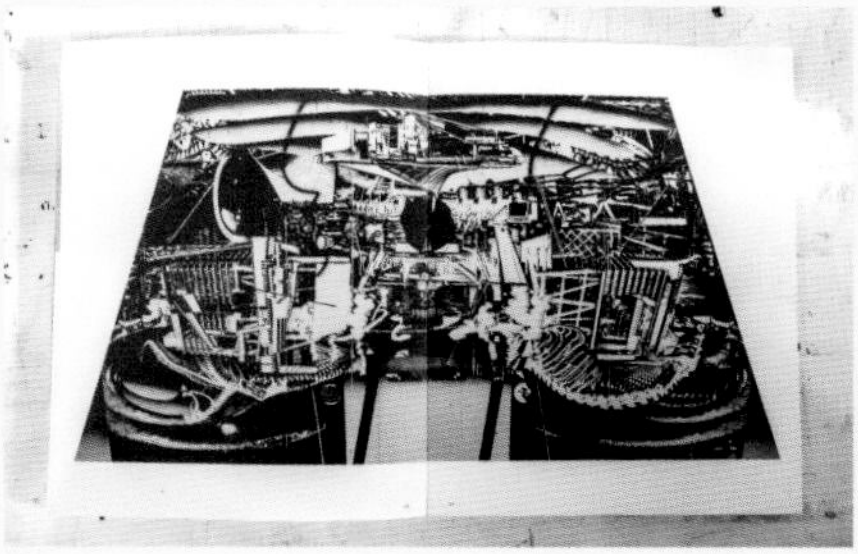

佃弘樹 作品集『Hour of Excavation』より、ニューヨーク近代美術館に収蔵されている《Great Distortion》（2016年）。

佃弘樹《Swimming Pools（Drank）》（2022年）
紙、墨、インク、鉛筆、アクリルフレームにシルクスクリーン
©Hiroki Tsukuda Courtesy of NANZUKA

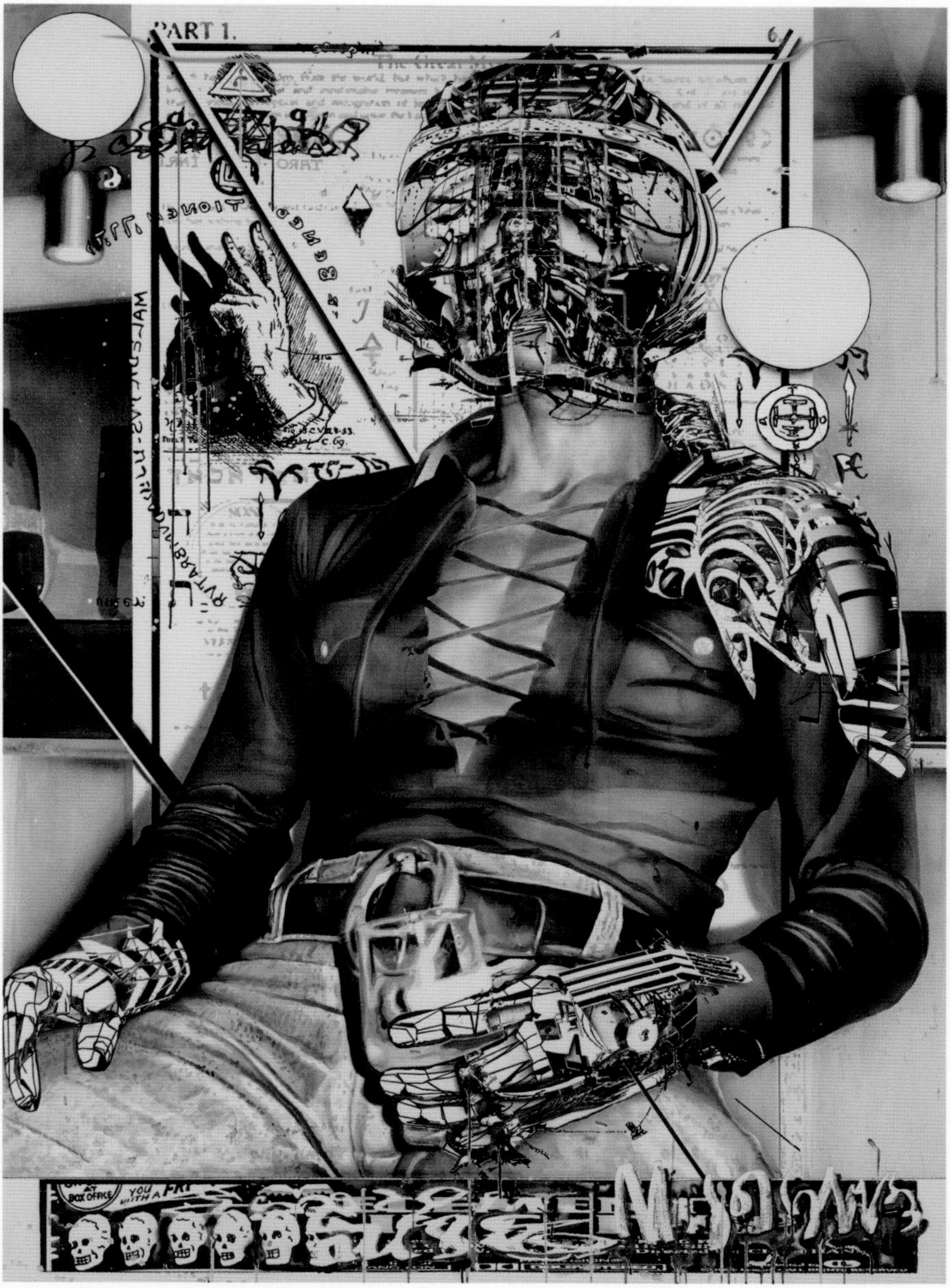

佃弘樹《Empty Glass》（2022年）
紙、墨、インク、鉛筆、アクリルフレームにシルクスクリーン
©Hiroki Tsukuda Courtesy of NANZUKA

植物を、実際にギャラリーに置いたりして。それを機に、「画面の中にどう収めるか」ではなく、「画面の外も作品」だと捉えられるようになったら、構図も自由になって作品がぐんと良くなって。『ドラゴンボール』でサイヤ人が超《スーパー》サイヤ人になるような、そんな感覚でした。

右近 いいなあ！ 羨ましいです。

佃 でも、さらに上の世界に行くには、それを2回、3回と経験しないといけないんだなと気づきました。

右近 そうなんですよね。1段上へ行くと、この1段を上がるのもこんなに大変だったのに、これを何回も繰り返すのかと、気づいてしまうという。そんな佃さんがやりたいことって、何ですか？

佃 誰も見たことがないもの、誰も作ったことのないようなもの、カッコいいものを作ることですね。それは新しい概念を生み出すことだと思うんですけど、簡単にはできないから、見たことのないようなものを作りたいと常に考えながら、そこに自分が今まで経験・蓄積してきたものを落とし込むようなバランスで作っています。

右近 そういう感覚って大切ですよね。歌舞伎をやっている僕も、常に新しいもの、今までにないような瞬間を求めていたりします。歌舞伎は〝型〟の世界と言われますが、それだって今までにないものを作ってきて、それが古典化していったもの。だからこそ新作歌舞伎も作っていかなきゃと思うし、古典をやっている時であっても、何かしら新しく見え

たらいいな、僕がやるからこそ出せる何かを見せられたらいいな、という思いがあります。

佃　歌舞伎では、「古典の名作のここをちょっと変えてみる」みたいなことを、やったらいけないんですか？

右近　やってもいいとは思うんですが、やらない理由を確認することにしかならない気がします。それこそ消去法で「これはダメ」「これは要らない」と削ぎ落していった結果残っているものは、強いんです。「やっぱり、これはこのままのほうがいいんだね」ってことになるんじゃないかと。アートの世界には、やっちゃいけないことってあるんですか？

佃　ないんじゃないですかね。マリーナ・アブラモヴィッチという女性のパフォーマンスアーティストの作品に、彼女の前のテーブルにトンカチや色々な工具、鳥の羽根、それから弾が1発入った拳銃が置かれていて、「これを使って私に何をしてもいいです。拳銃で撃たれて死んでも、私は文句を言いません」みたいなことが書かれているものがあって。最初はみんな観ているだけな

んだけど、一人の観客が工具を手に取ると、ほかの人たちも羽根でくすぐったり、色々やり始めて、作品終了が告げられた途端、みんな我に返って逃げるように帰っていったという。もちろん本当に銃で撃ったら大事件ですけど、それくらい何でもありの世界です。

右近 そういう世界で、唯一無二のオリジナルを作っているアーティストの皆さんに対しては、**羨ましさと尊敬とコンプレックスみたいなものを感じます**。

佃 いや、アートも大きな意味では伝統芸能と一緒ですよ。オリジナルといっても、古典や色々なアーティストの作品、映画、音楽、本……自分が触れてきたすべてに影響を受けているわけだし、今活躍している人たちも美術史の大きな幹から伸びた枝だと僕は思っていて。そこに新しい概念を持った大きな枝を作ったら、結構すごいアーティストで、その人のフォロワーみたいなアーティストが、その枝からどんどん細かい枝になって出てくるわけです。

右近 なるほど。僕は自分が〝型に頼っている〟ような居心地の悪さを感じることがあるんですが、お話を伺うと、自由なアートの世界にも型のようなものが存在するんだなと感じます。そもそも、新しさって何なんでしょうね。粛々と古典をやり続けている時にも新しさを感じることはできるし、案外どこにでも潜んでいる気がします。それをどれだけキャッチして、どれだけキャッチしてもらえるようなものを投げられるかが、表現の上では重要なのかなと。

佃 そうですね。僕も右近さんを羨ましく思っているんですよ。舞台に立っている人やミュージシャン、スポーツ選手には、バンッと決めてカッコいい瞬間があるじゃないですか。あれが僕らにはないんです。コツコツ作って発表はするけど、「決まった！」みたいな瞬間はないですから。

右近 確かに、僕らにはそういう瞬間があるかもしれない。特に歌舞伎は見得というパフォーマンスがあるので、わかりやすいですよね。

佃 それが羨ましいです。「今、決まった！」みたいな瞬間って、人の心をぐっと惹きつけるじゃないですか。僕なんかは、描き上げた瞬間も地味ですよ。「そろそろ終わりでいいか」「よし、これで終わりにしよう」って。

右近 展示する時はどんな心持ちなんですか？

佃 展示はもう、打ち上げみたいな感じですかね。でも展示も重要ですし、空間をどうカッコよくするかを考えながら展示を作るのは楽しいです。本当だったら作品をたくさん展示したくなるんですけど、自分の作品は1枚の中の情報量が多いので、あまり展示数を増やさないようにしています。

右近 それもまた水墨画の余白に繋がる〝引き算の美学〟ですね。今日はたくさん刺激をいただきました。ありがとうございました！

5

横尾忠則

今回は、日本を代表する現代美術家・横尾忠則氏のアトリエを訪問。大きなカンヴァスがいくつも並ぶその傍らで、美術の話から、歌舞伎や演劇の話、〝老い〟との向き合い方まで、たっぷりと話を伺った。半世紀以上も第一線で活躍し続け、幅広い交友関係を持つ横尾氏ならではのエピソードや言葉に、初対面の右近は感激しきり。まさに〝芸談〟のような対談を楽しんだ。

横尾忠則　Tadanori Yokoo
美術家。1936年、兵庫県生まれ。72年にニューヨーク近代美術館（MoMA）で個展。その後もパリ、ヴェネチア、サンパウロなど各国のビエンナーレに出品し、アムステルダム市立美術館、カルティエ財団現代美術館（パリ）など世界各国の美術館で個展を開催。国際的に高い評価を得ている。2012年神戸市に横尾忠則現代美術館、2013年香川県に豊島横尾館開館。1995年毎日芸術賞、2011年旭日小綬章、2012年朝日賞、2015年高松宮殿下記念世界文化賞、2020年度東京都名誉都民顕彰、2023年日本芸術院会員。著書に小説『ぶるうらんど』（泉鏡花文学賞）、『言葉を離れる』（講談社エッセイ賞）、小説『原郷の森』ほか多数。

飽きて描いた絵を見てみたい

横尾　僕はすっかり耳が遠くなっちゃってね。そのマイクに向かって話してもらえますか?

右近　はい。よろしくお願いします。

横尾　年を取ると不便ですよ。僕は難聴になってから、コンサートにも

舞台にも行かなくなってしまって。映画も字幕が出る外国のものはいいんだけれども、日本映画はセリフが聞き取れないから全部ダメ。でも面白いですよ。聞きたくない声を聞かなくていいからね。うちのかみさんなんて、ワーワー言って何を言っているかさっぱりわからない。英語より難しい（笑）。

右近　ははは（笑）。年齢を重ねてこられる中で、表現したいものや大切にしていることも変化するものですか？

横尾　僕はしょっちゅう変わっています。極端な話、午前と午後で、描く作品が全然違っていたりしますよ。同じような傾向のものを2〜3点は描くけれども、すぐに飽きちゃう。

セザンヌ

日本美術

それでまた違う表現を探して、違うものを描き出すから、自分の特定の様式というものがないんです。

右近　もともと、飽きっぽかったりするんでしょうか？

横尾　飽きっぽいですね。ここにある絵を見ても、一点一点、スタイルが違うでしょ？　これ、ほとんど同時に描いているんですよ。まだどの作品も、ほとんど完成していません。**そもそも僕の場合、完成がないんです。**

右近　どういうタイミングで描くのをやめるんですか？

横尾　お芝居は時間の芸術だから、終わりの時間が来れば、登場人物もどこかへ消えるでしょ？　でも僕なんかは、描こうと思えば、一つのカンヴァスに10年向かい続けてもいいわけですよ。いつ筆を置いていいか、わからない。僕の場合は、絵ができたから筆を置くんじゃなくて、もうこれ以上描きたくないとか、疲れたとか、眠たいとか、そういう生理的なことで絵は終わる。だから、全部未完なんです。

右近　先ほど、飽きっぽいとおっしゃっていましたが、絵を描くことに飽きることはないんですか？

横尾　80年以上も描いているので、とっくにもう飽きていますよ（笑）。絵を描くのが、嫌で嫌でしょうがない。

右近　飽きたから、もう絵は描かない、というふうにはならないんでしょうか？

横尾　それはないですね。飽きた状態の自分が描いた絵を見てみたいという、バカみ

たいな好奇心があるから（笑）。飽きて描いた絵って、どんな絵なんだろう？　見てみたいな、という気持ちのほうが強いんです。

右近　なんて面白い！

横尾　若い頃は、僕にも得意なものがあったし、頑張っていい作品を作ろうとか、社会に出ていきたいという気持ちがあったんだけれども、そういうものは年とともに段々なくなって、この年齢になると、どうでもよくなる。でも、そうなってからのほうが面白いことができるんですよ。誰かに向けた表現じゃなく、自分だけの問題としてやるわけだから、どうでもいいことができるんです。20代、30代の時にそういう状態になれたら、もっと面白かったかなと思いますがね。

右近　それは僕にもわからなくはないです。自分にも、そういう境地に辿り着きたいという気持ちはありますから。でも、まだやりたいことがたくさんあるし、自信もないし、見つけてほしいとか、発信したい、試したいという気持ちのほうが強くて。ただただ歌舞伎が好きなのであれば、ひ

たすら歌舞伎をやっていればいい、それに対する反応や評価も必要ないというのが、本当の状態だとは思うんですけど、なかなかその境地には行けないです。

横尾　右近さんは、映画やテレビにも出たりして、若いうちからマルチに活躍してらっしゃるからね。もともと、色々なことをやりたい性格なんじゃないですか？　心理学者の河合隼雄さんに聞いたことがあるんだけど、そんなにいくつものことができる人は、世の中全体から見ると少数派らしいですよ。

右近　でも僕の場合、軸はやっぱり歌舞伎なんです。「歌舞伎が本当に好きだ」ということを大前提とした上でほかのことをやると、色々な出会いがあって、そこで得られたものが歌舞伎にも還元されていく。それで、ほかのこともやりたいというのがあって。

横尾　そうでなければ何でも屋になりますからね。歌舞伎を手放せないことが強みになっているんです。僕が最初に右近さんを見た舞台は、確か『天守物語』[★1]（2014年7月、歌舞伎座）でした。亀姫をやっておられましたよね？

★1　2014年7月、歌舞伎座『天守物語』より。白鷺城とも呼ばれる姫路城の天守閣を舞台に、妖の天守夫人富姫と人間の侍の恋の顛末を描く泉鏡花の名作。富姫役は、戌井市郎の演出をベースに自身で演出も手掛けた坂東玉三郎。右近は、富姫を姉と慕い、眷属を連れて遊びに来る猪苗代・亀ヶ城の妖・亀姫を、可愛らしくも残酷に好演した。
©松竹株式会社

★2　二代目 市川猿翁／1939（昭和14）年生まれ。屋号は澤瀉屋《おもだかや》。1968年の『義経千本桜』での「宙乗り」を端緒に、エンターテインメント性を追求。ケレンの演出を次々に復活させた「猿之助歌舞伎」で一世を風靡し、1986年には「スーパー歌舞伎」を創始した。2012年に現在の隠居名を襲名。四代目 市川猿之助は甥。長男は香川照之（九代目 市川中車）。
写真提供：松竹株式会社

右近　はい。抜擢していただいて。まだ22歳やそこらだった僕にとっては、毎日が修業のように大変でした。でも非常にありがたくて、楽しい舞台でした。横尾さんが僕のことを認識してくださっていたなんて、感激です。

横尾　僕の耳が悪くなってきたのは、その頃なんです。たぶん『天守物語』以来、生の舞台は観ていないんじゃないかな。セリフも、すでにはっきりとは聞こえていなかったと思いますね。ただ僕は、もともと耳より目が優先するタイプで、頭で内容について考えるよりも、五感で理解するほうだから。歌舞伎は、まさに五感そのものというか、演出もお芝居も音楽も、舞台美術も衣装も化粧も、すべて〝美〟の追求じゃないですか。あれには心を奪われますね。僕は歌舞伎を観に行くと、自分が外国人になったような気分になるんですよ。日本人としての経験が少ないわけじゃないんだけれども（笑）、外国人が初めて日本のものを見た時の驚きに近いものを毎回感じるんです。

右近　（二代目 市川）猿翁のおじさま★2や海外公演を経験なさった先輩方が、海外では幕が開くと、まず舞台美術に対して拍手がくるとおっしゃっていました。日本人は、古いものを勉強するような感覚で観てしまう傾向があるけれども、海外の方にはそれがないから、様式美の一つひとつに反応があって、それがとても新鮮に感じられると。

横尾　舞台美術にしても、衣装にしても、まず色彩的に非常に豊かですよね。ただ、書き割りは段々下手になってきたように感じますよ。もちろん、伝統的な描き方を継

承しているとは思うんだけど。パターン化して、伝統精神が表現されていない。若い職人さんのせいですかね。

右近　そこを厳しく言う人がいないのかもしれません。それは役者の責任でもあるんですが。

横尾　職人さんにはプライドがあるから、下手に文句や注文をつけると怒りだすことがある。それで誰も、何も言わなくなるというのもあるんじゃないかな。だから演出家でもある俳優さんも一緒になって、美術を勉強する必要があると思いますね。

右近　そうかもしれません。僕なんかは、何を言われても自分のためになると思って聞いているので、「みんな、僕みたいな性格だったらいいのに」と思うことがあります。

横尾　それはいいね（笑）。猿翁さんは自分の演出やお芝居だけじゃなく、ポスター一つに対しても、ものすごく興味を持っておられましたよ。スーパー歌舞伎のポスターを依頼される時は、毎回、猿翁さんも立ち

★3　十八代目 中村勘三郎／1955（昭和30）年-2012（平成24）年。屋号は中村屋。子役時代から中村勘九郎として幅広いフィールドで活躍。コクーン歌舞伎や平成中村座の立ち上げや、野田秀樹ら現代劇の劇作家・演出家との協働などで歌舞伎界を活性化し、地方・海外公演も精力的に行う。2005年に勘三郎を襲名。57歳での早逝があまりに惜しまれる。
写真提供：松竹株式会社

会って、色々な話をされるんです。僕らは、それを聞いているうちに段々わからなくなっていくんだけれども（笑）、わからないまま持って帰って、ポスターを作る。そうやって、舞台の外側にある宣伝媒体にまで神経を使われている猿翁さんは、やっぱりほかの役者と違ってすごいなあと思っていました。右近さんも猿翁さんを超えてください。舞台美術もポスターも全部芝居だと思って、びっくりするようなことをやってください。ぜひお手伝いしますから。

右近　はい、猿翁さんは本当にすごい方だと思います。僕も頑張ります。

横尾　それだけに、猿翁さんが病気になられたことが非常に残念です。お元気だったら、きっとまだ一緒に仕事をしていたと思うんですよ。（十八代目 中村）勘三郎さん[★3]にも、亡くなる少し前に平成中村座のポスターを頼まれて、作らせてもらいました。そういうふうに、ジャンルの違う者同士が交流できると、もっと色々面白いこともできるし、お互いに知らない世界へ入っていくわけだから、かえって勝手なことが言えるわけです。今は時代なのか、職人がスペシャリストになってしまって、「職人に任せているんだから、間違いないんだ。口を出すな」みたいなことになりがちでしょ。そうすると段々、新しさ、面白さがなくなっていく。右近さんには、頑張ってもらいたいですね。いつか一緒に仕事しましょうよ。先は短いですが（笑）。

右近　ぜひともお願いいたします！　僕からお願いさせていただきます！　断らないでください（笑）。僕は同じ時代に生きているということ自体に意味があると思って

いるので、とにかく出会いを大切にして、たくさんの人を巻き込んでいきたいです。最終的にそこでいい芝居をすれば、責任をとったことになると信じて、突き進みたいと思っています。

型を身につけ、型を捨てる

横尾　頼もしいですね。右近さんは今、女形と立役の割合は半々くらい？

右近　ちょうど半々くらいです。

横尾　どっちが好みですか？

右近　半々やらせてもらっている自分が、いちばん気に入っていますけど、個人的には立役のほうですかね。いろんな発見があります。

横尾　こうやって話している声の感じ一つとっても、女形のイメージがあまり伝わってきませんよね。男のままできる立役と違って、女性を演じる女形は、そこに芸というか、型が必要になってくるでしょ？　両方をやれるというのは、とてもいいことじゃないですか。両方に影響を与えられますね。

右近　そうなんです。立役と女形を行ったり来たりするだけでも、

自分の心の世界が広がるのをすごく感じます。
横尾　相手役の背丈に合わせて、女形は腰や膝を折って小さく見せなきゃならないでしょう？　あれはしんどくないですか？
右近　しんどいと思う時は、相手に惚れていない時ですね。
横尾　ほお！　面白いね。勉強になりました。
右近　**相手のことを想っていたら、自然と相手より小さくなるし、**意識してそうしているわけではないから、しんどさも感じません。つまり〝努力〟しているわけじゃなく、〝夢中〟になっているんですよね。しんどい体勢であることに気づかない時は、ちゃんと相手や、そのお芝居に、夢中になれている時だと思います。
横尾　努力しないで自然にできることが才能でしょうね。それは、お芝居をしている上で相手の役柄が好きになるんですか？　それとも、お芝居をしている相手役の存在自体に夢中になるの？
右近　相手役の存在自体ですね。目を見た時に、好きになれるかどうかが決まるというか。
横尾　興味深いですね。日本の伝統芸能は大抵そうだけれども、歌舞伎も形から入るじゃないですか。型を身につけた上で、最終

★4　二代目 片岡秀太郎／1941（昭和16）年- 2021（令和3）年。十三代目 片岡仁左衛門の次男。大阪生まれ。屋号は松嶋屋。上方色の濃い柔らか味のある女形として活躍。江戸の生世話物もこなし、若衆役も得意とした。父の遺志を継いで上方歌舞伎の復興に尽力、上方歌舞伎塾の講師として人材育成にも努めた。養子に六代目 片岡愛之助。
写真提供：松竹株式会社

的には型に捉われずに、どんどん次に行かなきゃいけない。友達だった（二代目 片岡秀太郎さん[★4]が、よくそういう話をしていました。僕が前に住んでいた家に、よく来てくれたんですよ。僕は家の玄関の鍵を閉めずに出かける癖があって、帰ってきたら、秀太郎さんが家の中にいて、「横尾さん、鍵も閉めないでどこに行っていたんですか。泥棒でも入ったらいけないから、ここで留守番をして待っていました」なんてこともありました（笑）。

右近　めちゃくちゃ、いい方！（笑）。

横尾　その秀太郎さんが、女形の演技の仕方をよく見せてくれたんです。泣く時は、首をこれくらい傾けて、手をこうするとか、袖をこう咥えるとか、色々な演技の型を目の前でやってくれて、面白かったですよ。一度、僕が「でも、型ばかりに捉われていたら、つまらないじゃないですか」と言ったら、「これを1回全部忘れて、捨ててしまうねん。そこから、いよいよ本物が出てきまんねん」とおっしゃって。

右近　なんて素敵な言葉！　型の世界の中で、型を忘れて、またそれが型になった時に、その人にしかできない表現に辿り着けるのかなと、僕も歌舞伎を通じて思うことがあります。

横尾　とはいえ、基本をしっかりマスターして、それを全部捨ててしまうなんて、できそうでなかなかできないことですよね。

右近　捨てるのは怖いと思います。

横尾　怖いよね。型通りにやっておけば間違いないわけだし、違うことをやれば、観る人はきっと「おや？」と思う。でも、この「おや？」と思うこと、心が動くというのが、芸術なんじゃないかな。

創作の根源に必要なもの

右近　僕も秀太郎さんのことが好きでした。お化粧にしても、今は結構みんな細かく丁寧にやるんですけれども、秀太郎さんはパパッと手早くなさっていて。ご自分の鬘《かつら》をかぶると「鬘ってすごいね。こんなにいい加減な顔をしていても、鬘がよければ、ちゃんとした顔に見えるもんね」なんておっしゃっていました。そういうごく当たり前のことを、あの世代で子どものようにおっしゃるのが僕にとっては新鮮で、面白い方だなと思っていました。

横尾　秀太郎さんは、年を取っても子どもの頃の感覚を持ち続けていたんでしょうね。それは、ものを作る人間にとっていちばん大事なことだと思う。僕もよく三島由紀夫さん[★5]に、創作の根源には少年性や幼児性がないとダメだと言われましたよ。三島さんは、英語の「インファンティリズム（infantilism）」という言葉をよく使っていましたけど、それこそ耳にタコができるくらいに。そう考えると、三島さんがやったことも子どもっぽいんですよね。クーデターを起こそうと自衛隊に飛び込むなんて、子どもの世界じゃないですか。だから大の大人は、びっくりするわけですよ。その子ども性

★5　三島由紀夫／1925（大正14）年-1970（昭和45）年。戦後の日本文学界を代表する作家であり、海外での知名度も高い。長いとは言えない作家生活の中で、小説、戯曲、評論、随筆など膨大な作品を残す。青年時代の『芝居日記』は優れた劇評。45歳で自衛隊市ヶ谷駐屯地で自決するという衝撃的な死も含めて、多くの日本人に多大な影響をもたらした。
写真提供：産経新聞社

に。

右近　三島さんと出会われたのは、おいくつの頃ですか？

横尾　29歳くらいじゃないかな。僕がデビューしたのも29歳の時なんですよ。自分が首吊りをしているポスターを作って、それでデビューしたんです（1965年11月、銀座松屋グラフィックデザイン展〈ペルソナ〉）。

右近　じゃあ、ちょうど今の僕と同じくらいの年ですね。僕は今年（2022年）、30歳なので。

横尾　そうか。今話していても感じるけど、右近さんはものすごくしっかりしているよね。僕が29歳の時は、話下手でダメだったよ（笑）。

右近　でも、しっかりする＝少年性を失うということだと思うので、危機感も持っております。しっかりしているようでいて、いい加減でありたいなと。

横尾　いい加減は大事ですよ。頭でっかちになったらダメ。僕なんて、頭を空っぽにしなきゃ絵を描けない。もともと思想はないけど、考えに左右されている間は手が動かないわけ。だからもう僕にとって絵を描くことは、頭の作業ではなく、身体の作業、手の作業なんですよ。そういう意味では、俳優さんやアスリートの人たちと非常に近い感覚で絵を描いている気がします。だから今日は楽しみにしていたんですよ。俳優さんとお会いすると、非常に勉強にもなるから。特に若い方には興味がありますね。

右近　嬉しいです。若いといっても、僕自身は過渡期だなと感じていて。満ち足りなかったり、埋められなかったりする苛立ちや怒りで突き進んでいた時期があったんですが、近頃、幸せになる瞬間、楽しい気持ちが増えてきた気がするんです。ただ、そういう時に、ふと怒りが懐かしくなることもあって、自分は変化しているんだなと感じます。

横尾　それも若い証拠ですよ。僕なんかもう、怒りもないし、面倒くさいし、どうでもいい（笑）。だけど、そうなってからのほうが面白いんですよね。それでさっき僕は、もっと若い時期にそういう状態になれたらよかったと言ったんだけど、やっぱり年を取らないとダメだね。若い時は、欲望とか願望とか、煩悩とか自我を山ほど持って、ガーッと突き進んでいけばいいんです。自分の中にあるものを全部吐き出しちゃう。そうやって、年を取ったら空っぽになってください（笑）。

右近　はい、そうなりたいです。そんなふうに言える横尾さんは、本当にカッコいいです！

横尾　歌舞伎の大御所の人たちも、年とともに段々と空っぽな状態になって、何でもありみたいになってこられるでしょ？　そうなるには、やっぱり若い頃にできるだけ

★6　高倉健との珍しい2ショット。鶴田浩二（写真右）／1924（大正13）年 - 1987（昭和62）年。ほぼ昭和と共に生きた日本映画界を代表するスター。甘さと翳りを併せ持った美貌と声で、歌手としても活躍した。主演した東映やくざ映画の代表作『博奕打ち 総長賭博』（1968年）は三島由紀夫も絶賛。NHKドラマ『男たちの旅路』（1976－82年、脚本・山田太一）は鶴田の新境地を開いた名作。清元延寿太夫と結婚した次女が右近の母。
写真提供：産経新聞社

自我を吐き出すことをやっておかないと。ああしたほうがいいかな、こうしたほうがいいか、なんて考えずに、面白いとか好きだということに夢中になれば、それがいちばんだと思いますよ。

ハンディがある状態を生かす

横尾　右近さんのお祖父ちゃんは、鶴田浩二さん[★6]でしょ？　やっぱり面影がありますよ。それに、松竹から新東宝、大映、東宝、東映と渡り歩いて色々な作品に出演した鶴田さんは、ある意味、右近さんと同じようにマルチな方だったと思いますね。

右近　祖父と僕にそんな共通点があったとは！

横尾　鶴田さんは、怖いものなしだったんじゃないかな。本当にいい役者さんで、着物の着方にしても、東映育ちの高倉健さんはかっちりした感じだったけれども、**鶴田さんは肩の力が抜けていて、ダラッとした着流し姿に非常に色気がありました。**僕は一度お会いしたことがありますけど、面白い方でしたよ。

右近　横尾さんから祖父の話を聞けて、嬉しいです。僕は祖父に会えていないんです。生まれた時には亡くなっていたので。

★7　六代目 中村歌右衛門／1917（大正6）年-2001（平成13）年。屋号は成駒屋。戦後の歌舞伎界における女形の最高峰と称され、数々の当たり役の中でも1953年の天覧歌舞伎での『京鹿子娘道成寺』は昭和の名演と語り継がれる。ファンだった三島由紀夫は、歌舞伎脚本や小説『女方』、評論を残している。歌舞伎の海外への紹介や後進の指導にも尽力。趣味は動物のぬいぐるみ集め。写真提供：松竹株式会社

横尾　えっ、そうなの⁉　ということは、亡くなってもう30年以上経つのか。僕にしてみれば、ついこの間お会いしたような感じがあるんだけれども（笑）。右近さんは（六代目中村）歌右衛門さん★7には会えたのかな？

右近　いえ。舞台も生で観ることはできなくて。

横尾　そうでしたか。僕は歌右衛門さんが好きでね。舞台に現れると空間が突然、造形化されるんですよ。

右近　空間が造形化⁉

横尾　あの人が現れると、周りの空気まで形になって見えるんです。だから指一本動かしただけで、それを取り巻いている空間までうわっと動くように感じる。鬘なのに、髪の毛までお芝居しているみたいでしたよ。

右近　すごいっ！

横尾　僕は、あの人の霊力が鬘の髪の毛一本一本にまで宿っているような感じがしてね。これはもう歌右衛門さんに会わなきゃいかんと思って、家が近かったのをいいことに、歌右衛門さんのお宅にお邪魔して、色々話を聞かせてもらったんです。その存在感の美しさに圧倒されましたね。晩年はあまり動けなくなってしまわれたけれども、特に何をするわけでもなく、そこにシュッといらっしゃるだけで、辺りの空気が変わっちゃうんです。あの人には、僕が今まで観た中でいちばん霊的な力を感じました。

右近　僕もそれを生で感じてみたかったです。

横尾　あとは、今の仁左衛門さんのお父さん★8（十三代目 片岡仁左衛門）。あの方も独特の空気を持っていらした。最晩年は、目が見えなくなった状態でお芝居をしていらっしゃったらしいんだけど、だからこそ、あのお芝居ができたのかなと。ハンディキャップを持つと、なんとか元に戻したいと思って、それを補おうとするじゃないですか。でも、そんなことはせずに、ハンディを自然体にしてお芝居しちゃえばいいんじゃないかと、仁左衛門さんを見て感じましたね。僕も今、そうしているんですよ。

右近　というと？

横尾　手が腱鞘炎になって、筆を持ったり、細かいことができなくなりましてね。真っすぐ線を引こうとしても、手が震えてうまくいかないんです。それをなんとか真っすぐ引こうとすると、苦痛になる。だから、このままで描こう、それがハンディキャップを持った今の僕の自然体なんだなと。そう思って描くと、ここにある絵のように全部ゆるゆるとした輪郭になってくる。それで逆に、絵が面白くなってきた気がしますね。

右近　色彩も明るくて、とてもきれいです。

横尾　そうですね。昔はどちらかというと、暗い色彩とか強い色彩の絵が多かったんだけれども、「寒山拾得《かんざんじっとく》」★9と出会ってからは、色彩も軽く鮮やかになってきました。だから、これからやっとスタートという感じですね。今やっと、画家の階段の下に立っている。今までのものはもうどうでもいい、みたいな（笑）。

★8　十三代目 片岡仁左衛門／1903（明治36）年-1994（平成6）年。屋号は松嶋屋。昭和後期の歌舞伎界を支えた立役の名優。私財を投じて自主公演「仁左衛門歌舞伎」を行い、また上方の若手役者による「若鮎の会」を主宰するなど、上方歌舞伎の復興と継承に尽力。最晩年には失明状態となったが舞台に立ち続けた。鉄道愛好家。学究肌で著書も多数。
写真提供：松竹株式会社

右近　なんかもう……無限の世界ですね。「寒山拾得」にハマったのはなぜですか？

横尾　寒山と拾得は、唐時代の中国の禅寺の小僧さんというか、寺男みたいな人で、どっちかというとアホに見えるような人なんですよ。それはある意味、人は悟れば悟るほど賢くなるんじゃなくて、自由なアホになっていくことを表していて、その生き方にすごく共鳴したんです。それで、僕の中の寒山拾得を絵で引き出せないかなと思って。

右近　（アトリエを見回しながら）シリーズで描いていらっしゃるんですね。

横尾　目標として、１００点描こうと決めています。寒山拾得の二人は、僕の中に唐時代の中国の格好で出てくる時もあれば、現代人の格好をしたり、駅伝やマラソンの選手になって出てくることもある。そうすると、今までとは全然違う色彩への興味も湧いてくるんですよ。最近は黄色が好きで、今まで黄色を使えなかったのに、どの絵にも必ず黄色が入っています。ちょうど今日、右近さんが着ているような黄色やグリーンは、今の僕の寒山拾得のカラーですよ。

右近　奇しくもそうなっていましたか！　嬉しいです！

新しい領域に入っていく

横尾　右近さんは若いから、ハンディキャップが多少あったとしても乗り越えちゃうでしょ。

★**9**　横尾忠則《寒山拾得 2020》（2019年）
カンヴァスに油彩、襖の引手　193.9×112.1cm

右近　そうですね。無理やり修正する体力と集中力がまだあるから、そうなったことに身を委ねたいという願望はありつつも、軌道修正したくなると思います。

横尾　それを乗り越える力があるのなら、やったほうがいいですよ。ただ、人間も自然の一部だから、いつの間にか老化していく。それは上手く利用したらいいと思いますね。世阿弥が『風姿花伝』に、各年代にいいものがあると書いているでしょ？

右近　〝時分の花〟というやつですね。

横尾　あれは「30代だったら、30代の演技をしなさい」と言っているわけじゃなくて、「年を取れば、できないことが色々と出てくる。そのハンディを生かしなさい」と言っているんじゃないかと僕は思っているんです。できることが少なくなったら、少ないことで表現すればいい、と。

右近　なるほど。

横尾　僕は70代の頃、自分の考えと身体が乖離していく感覚があったんですね。思考はまだ50〜60代くらいで若いのに、実際の身体は70代。そのうち80代になっていった。この乖離をなんとか縮めようとする人もいるけれど、それで病気になってしまう人もいるし、作品の質を落としていく人もいる。だから僕は、乖離したら乖離したで、もういいじゃないかと思っているんです。まあ、若い右近さんを相手に、するような話ではないけどね（笑）。

右近　いえ、僕なりに「自然の摂理に従う。それも芸ということなんだな」と捉えて

★10　五代目 古今亭志ん生（中央）と次男の三代目 古今亭志ん朝（右）、長男の十代目 金原亭馬生。この親子によって円熟した艶のある笑いを体感できた世代は幸福だった。享年、志ん生83歳、志ん朝63歳、馬生54歳。息子たちにもオヤジくらい生きてほしかった。
写真提供：産経新聞社

います。僕が好きな話に、落語家の（五代目 古今亭）志ん生さん親子★10の話があるんです。いつも高座の途中で噺を忘れてしまう志ん生さんを、情けなく思った息子さんの（三代目 古今亭）志ん朝さんが「昔はあれだけ稽古をしていたのに、なんでいつも酔っぱらって稽古をしないんですか？」と聞いたら、志ん生さんは「稽古したら覚えちゃうだろ」と言ったそうなんです。「覚えたら、言葉がスラスラ出てきて間が埋まってしまう。俺が忘れて、次の言葉を思い出すことで、お客が笑う間が生まれるんだ。だから稽古はしない」と。

横尾　若い頃は、そういった気持ちをなかなか持てないんですよね。

右近　コントロールしたくなるんですよね。

横尾　でも、それはそれでいいんです。コントロールできるなら、徹底的にやったらいい。ただ、やれなくなった時に焦る必要は全然ない。また新しい領域に自分が入ったんだなと理解すればいいわけです。右近さんはまだ若いから、ほかのジャンルのものでも手当たり次第にやったらいいですよ。絵も描かれるんでしょ？

右近　はい、好きです。

横尾　どんな絵を描かれるんですか？

右近　やっぱり芝居の絵が多いです。

横尾　猿翁さんも、肖像画をよく描かれていますよね。

右近　はい。身体を悪くされてから、ご自分の舞台姿を。

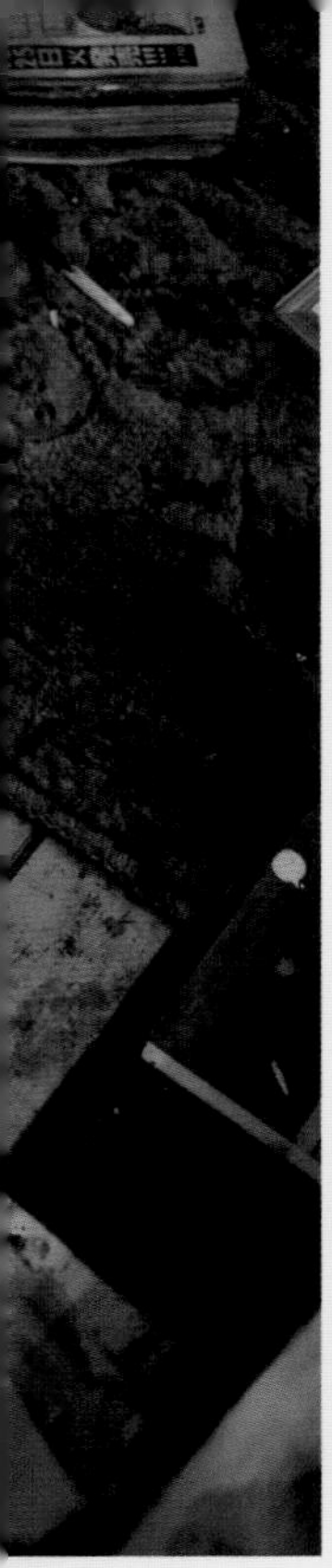

横尾　あれは手が描かせているのではなく、心が描かせているものだと思いますね。プロになると、心は横に置いて、技術だけで描けてしまうんだけど、猿翁さんの絵を観ていると、ハートで描いているなと感じますよ。

右近　猿翁さんは、歌舞伎もそのイキでなさっていましたよね。心で傾《かぶ》いていたというか、心の爆発がすごい。そういう意味では、プロではないというか。

横尾　そうですね。ものすごく好奇心も強いし、子どもっぽかった。あの少年性が、スーパー歌舞伎を作らせたんでしょうね。本当は僕も、子どものような絵が描けたらいちばんいいんだけど、**なかなか子どもになれないわけですよ。**１００歳くらいまでいけば、子どもになれるかもしれないけど、まだ中途半端な年齢だなと自分で思いますね。

右近　80代で中途半端!?……本当に無限の世界ですね。

観客がわからせてくれる

横尾　美術の世界には、観念的で難しければ難しいものほど喜ぶお客というのがいるんですよ。そのせいもあるのか、今の若い美術家には、コンセプチュアル・アートなんて言って、頭でものを考えて理屈で作る

人が多い。コンセプトや観念でがんじがらめになって、それを形やテーマに置き換えるから面白くないし、1回観ればわかっちゃうから、2度観ようと思わない。たとえば、《モナ・リザ》の絵は何度でも観たくなりますよね。それは、コンセプトや観念で描いていないからです。魂が描かせているんだと思います。

右近　お芝居の世界でも、西洋の影響を受けて、いわゆる新劇が生まれ育っていく中で、思想とか理念というものを作品に落とし込もうという考え方が強くなったと聞いています。それに対して、歌舞伎は非日常的なもの。ヒーローはどこまでもヒーローで、心の悩みを打ち明けたりしないし、もっとエンターテインメントなものだと思っています。

横尾　そうですね。この間、「私と演劇」

というテーマで原稿を頼まれて、僕は「演劇は嫌いだ」と書いたんですよ。「僕が好きなのは芝居だ」と。

右近　なるほど！

横尾　芝居は大衆的なものだけど、演劇というと、今おっしゃったような思想とか理念とか、観念でやるものという印象がある。そういうものは、僕にとっては面白くもなんともないんです。

右近　少年性がなさそうです。

横尾　そうそう。それを排除してしまった結果ですよね。そう言いながら、僕も昔は新劇のポスターを作ってますけど（笑）、やっぱり興味は持てませんでしたね。そんな時に頼まれたのが、寺山修司の天井桟敷の宣伝美術と舞台美術。あれは演劇ではないし、お芝居でもない。〝見世物〟ですね。どれにも該当しないのが面白かった。

右近　見世物！　わかる気がします。

横尾　僕は天井桟敷をやりながら、唐（十郎）くんの状況劇場の美術もやっていたんだけど、寺山も唐くんも、話をすればするほど、わけがわからなくなっちゃうんですよ（笑）。何を目指しているのかもわかっていなくて、そこが面白かった。そのわからない状態で、芝居を作ったりしていたわけ。

右近　衝動的なものが強くあったんでしょうね。

横尾　そうですね。60年代当時は、まだ世の中が固まっていないドロドロとしたカオ

スの時代で、まだアングラなんてものもなかったから、目指すものが何もなかった。だから逆に、やりたい放題でした。でも、**作っている人間は、自分がやっていることがわからなくていいと思うんですよ。わからせてくれるのは、お客さん。**アングラは、寺山や唐くんが作ったものじゃなく、お客さんが作ったものだと思いますね。

右近　僕も最近、お客さんとも仲間でありたいと思うようになりました。観てもらうものをコントロールするんじゃなくて、共有する。そして、お客さんの拍手に感動する役者でありたいなと。

横尾　そのためには、自分のやりたいことを、ただやるしかないんじゃないかな。お手本に準じてやるんじゃなくて、自分のやりたいことをやる。それに尽きると思いますね。

右近　はい。今日は本当にありがとうございました。たくさんの言葉が心の奥底に刺さりました。精進します。まだまだ青っちょろい若造ですが、今度ぜひまた僕の歌舞伎を観ていただけたら嬉しいです！

TAMAKI

6 舘鼻則孝

舘鼻則孝　Noritaka Tatehana
1985年、東京都生まれ。2010年に東京藝術大学美術学部工芸科染織専攻を卒業。個展「呪力の美学」（岡本太郎記念館、2016年）、個展「It's always the others who die」（POLA MUSEUM ANNEX、2019年）、個展「NORITAKA TATEHANA: Refashioning Beauty」（ポートランド日本庭園、2019年）をはじめ、ニューヨーク、パリ、オランダなど世界各地で作品を発表。2016年3月にパリのカルティエ現代美術財団で文楽公演を開催するなど、幅広い活動を展開。また、東京都主宰「江戸東京きらりプロジェクト」の一環である、東京の伝統産業に焦点を当てた「江戸東京リシンク展」（小石川後楽園、2023年）では展覧会ディレクターを務める。作品はメトロポリタン美術館（ニューヨーク）、ヴィクトリア&アルバート博物館（ロンドン）などに収蔵されている。

レディー・ガガが愛用したことで、一躍注目を集めた〝ヒールレスシューズ〟。花魁が履いていた高下駄に着想を得てこの靴を生み出した舘鼻則孝氏は、自国の文化や歴史と、伝統工芸の精緻な技に裏打ちされた独自の作品で観る者を魅了し、幅広い領域で活躍しているアーティストだ。「江戸の文化を現代に翻訳して未来に繋ぎたい」と、真摯かつ穏やかに語る舘鼻氏。その言葉にも佇まいにも、感銘を受けた右近だった。

軸にあるのは日本の文化や伝統

舘鼻　僕の父の家は、昔、新宿・歌舞伎町で銭湯をやっていたんです。僕のひいじいちゃんが戦後わりとすぐに富山から出てきて開いた銭湯で、「歌舞伎湯」という名前だったんですよ。

右近　歌舞伎湯！　いいですね！　舘鼻さんと、そんな〝歌舞伎〟繋がりがあったなんて！　僕は今年（2022年）、「研の會」という自主公演で文楽人形とコラボさせてもらったんですが、舘鼻さんも文楽とご縁がおありだとか？

舘鼻　カルティエ現代美術財団からのオファーで、人形遣いの（三世）桐竹勘十郎さんと、2016年にパリで文楽を上演★1しました。

右近　パリで⁉　さすがです。

舘鼻　最初は、パリの劇団の公演をプロデュースしないかという話だったんですが、僕はその劇団のことを全然知らないし、せっかくなら日本のものを持って行きたいと思って、文楽を提案したんです。フランスではもともと人形劇が盛んなので、合っているんじゃないかと。

右近　桐竹勘十郎さんとは、以前から親しくされていたんで

★1　2016年パリのカルティエ現代美術財団で上演された『TATEHANA BUNRAKU : The Love Suicides on the Bridge / Nomadic Nights』より。文楽人形遣いの三世 桐竹勘十郎が主演を務め、舘鼻則孝が芸術監督、衣装、小道具を担当した。
©Fondation Cartier pour l'art contemporain　Photo: GION

すか？

舘鼻　いえ、パリの話をもらう少し前に知り合いました。それで早速お声掛けしたら、乗ってくださって。そこから準備期間を2年ほどいただいて、文楽について勉強しながら、衣装や小道具、舞台美術を新しく制作したんです。新しい表現や〝ものづくり〟が介在する舞台にしたかったので、小道具は伝統工芸士の職人さんに、着物の制作は友禅の染色家さんにお願いして。最高級のクオリティのものを間近で見てもらうために、花道を作って舞台をT字型にして、舞台と客席の距離も1メートルくらいにしました。僕の場合、普段から伝統工芸や伝統文化を主題として作品を作ることが多いんですが、舞台の総合芸術監督みたいなことは初めての経験だったので、思い出深いです。

右近　すごいです。演出も舘鼻さんがなさったわけですよね？　お客さんの反応はどうだったんですか？

舘鼻　お客さんの大半はパリ在住の日本人だろうなと思っていたら、ほとんどが日本人以外のお客さんで、皆さん熱心に観てくださって。太夫、三味線、人形遣いから成る15名くらいの一座で、3人の遊女を主人公にした3つの短編を上演したんですが、ハイコンテクストなカルチャーが土壌としてあるフランスだからこそ、恋する男女の〝死の道行〟のハッピーエンドでもなければ、バッドエンドでもない感覚も伝わったのかなという気がしています。終演後、勘十郎さんにサインをねだるお客さんもいたんですよ。

右近　素敵ですね。僕も今年『ジャージー・ボーイズ』という翻訳ミュージカル★2に出演したんです。この背格好で「トミー」なんて呼ばれちゃって（笑）。歌舞伎役者でありながら、そういうことも経験できるのはありがたいことだと感じているんですけど、30歳を迎えた時にふと「自分がこれをやる意味って何だろう？」と考えて、それはたとえば、日本で美味しく食べられているイタリア料理が、日本人の舌に合うようにアレンジされているのと同じなのかなと思い至りました。それは同時に、自分の中に歌舞伎という圧倒的な軸があることを再認識する出来事でもあったんです。

舘鼻さんは、日本の文化や伝統をいつ頃から意識するようになったんですか？　ご自身の表現において、日本の文化や伝統はどういう存在なんでしょう？

舘鼻　僕は昔、海外にすごく憧れていたんです。高校生の頃はファッションデザイナーになりたくて、それこそパリでファッションの勉強をして、海外で活動したいと思っていました。でも、海外に身を置いた自分を想像した時に、「何が自分の武器になるんだろう？　まずは自分が生まれた国の文化をしっかり学んで、武器になるものをこしらえてから外に出ても遅くないのかな」と思うようになって。

右近　それは、いくつぐらいの時ですか？

舘鼻　大学を受験する頃ですかね。それで、東京藝術大学

★2　ミュージカル『ジャージー・ボーイズ』（2022年10月、日生劇場）より。1960年代に活躍したロックポップスグループ「ザ・フォー・シーズンズ」の結成から成功、メンバーの一部脱退までを、彼らの楽曲とともにドキュメンタリー形式で描くヒット作。2014年にクリント・イーストウッド監督により映画化もされている。日本語版は藤田俊太郎の演出で2016年に初演。右近は、2020年の公演中止を経て、2022年公演のトミー・デヴィート役をWキャストで演じた。写真提供：東宝／WOWOW

の工芸科に進みました。そこで出会った日本の伝統文化や伝統工芸を糧に卒業制作として発表したのが、ヒールレスシューズです。作品自体はクラシカルなものではないけれど、その**背景には自分が学んできた伝統的な日本の文化がある**というのが、今でも重きを置いているところです。

右近　ヒールレスシューズには、どういった経緯で辿り着いたんですか？

舘鼻　工芸科でも1、2年生の頃は、日本画や彫刻、西洋絵画を制作したり、幅広く色々なことをやるんです。僕が在学していた頃は、専攻に分かれるのは2年生の終わりで、僕はそこで染織を専攻して、3、4年生の時は友禅染の技法を研究して着物を染めたり、下駄を作ったりしていました。それこそ、歌舞伎の衣装も色々調べたんですよ。そんな中で興味を持ったのが花魁装束の高下駄[★3]で、あれを現代に置き換えたらどうなるのか？と考えて、最終的にできたのがヒールレスシューズです。当時は靴作りに関する情報が全然なかったから、道具も海外で靴を作っている日本人の職人さんに頼んで入手して、独学で作りました。でも、卒業制作で発表した時は全然評価されなくて。

右近　どうしてでしょう？　見れば「あ、高下駄だ」って、わかると思うんですが。

舘鼻　そういう方のほうが、少ないですよ。大学の先生たちにしてみれば、「今まで伝統的なものづくりをしていたのに、なんで急にこれ!?」みたいな感じだったと思います。自分としては、卒業制作という社会に出る前の最後の関門では、今までやっていた伝統的な技法やスタイルの模倣ではなく、自分の表現をしたいと思って、下駄じゃなくて靴を作っ

★3　花魁装束の高下駄
©Shizuokamatsuri Photo

たんですけどね。そもそも僕が社会に出て実際にやりたいのはこっちで、そのために大学で日本の伝統文化を学んだわけなので。

ファッションからアートの世界へ

右近　そこから、どうやってレディー・ガガに繋がっていったんですか？[★4]

舘鼻　自分で売り込みました。彼女の動向を見ると、たとえばロンドンでコンサートをする時には、ロンドンの若手ファッションデザイナーやアーティストの服を着たりしていたので、自分にもチャンスがあるかもしれないと思って、ワールドツアー中の彼女が東京に来る2週間前ぐらいに、当時の彼女の専属スタイリストさんに連絡したんです。ホームページのコンタクトフォームみたいなところから、メールを送って。そしたらすぐに「東京で◯月×日に音楽番組に出るから、1足作ってほしい」という返事が来て。

右近　すごい急展開！

舘鼻　まさにそうでした。僕が大学を卒業したのが2010年3月25日で、レディー・ガガがヒールレスシューズを履いてくれたのが4月中旬。そこから海外の人たちにも知られるようになっていって。でも、日本のファッション誌の反応は遅かったですね。日本で初めてヒールレスシューズが掲載されたのは、雑誌「anan」のレディー・ガガ特集で、その次が、僕の靴を履いた彼女がロンドンのヒースロー空港でこけた時に、取材したいと電話を掛け

てきた「FRIDAY」(笑)。その頃は、まだ日本のどのファッション誌にも掲載されていなかったんですよ。海外では「VOGUE」をはじめ、色々取り上げられていたのに。

右近 まさに逆輸入だったわけですね。日本はミーハーなのに保守的だったりするからなあ。

舘鼻 でも、そうやって海外で先に注目されたことは、ある意味、幸運でした。向こうで取材を受けると、作品や僕自身のバックグラウンドについて質問されることが多いので、自分が学んできた日本の伝統文化についても話せるんですが、日本のファッション誌の質

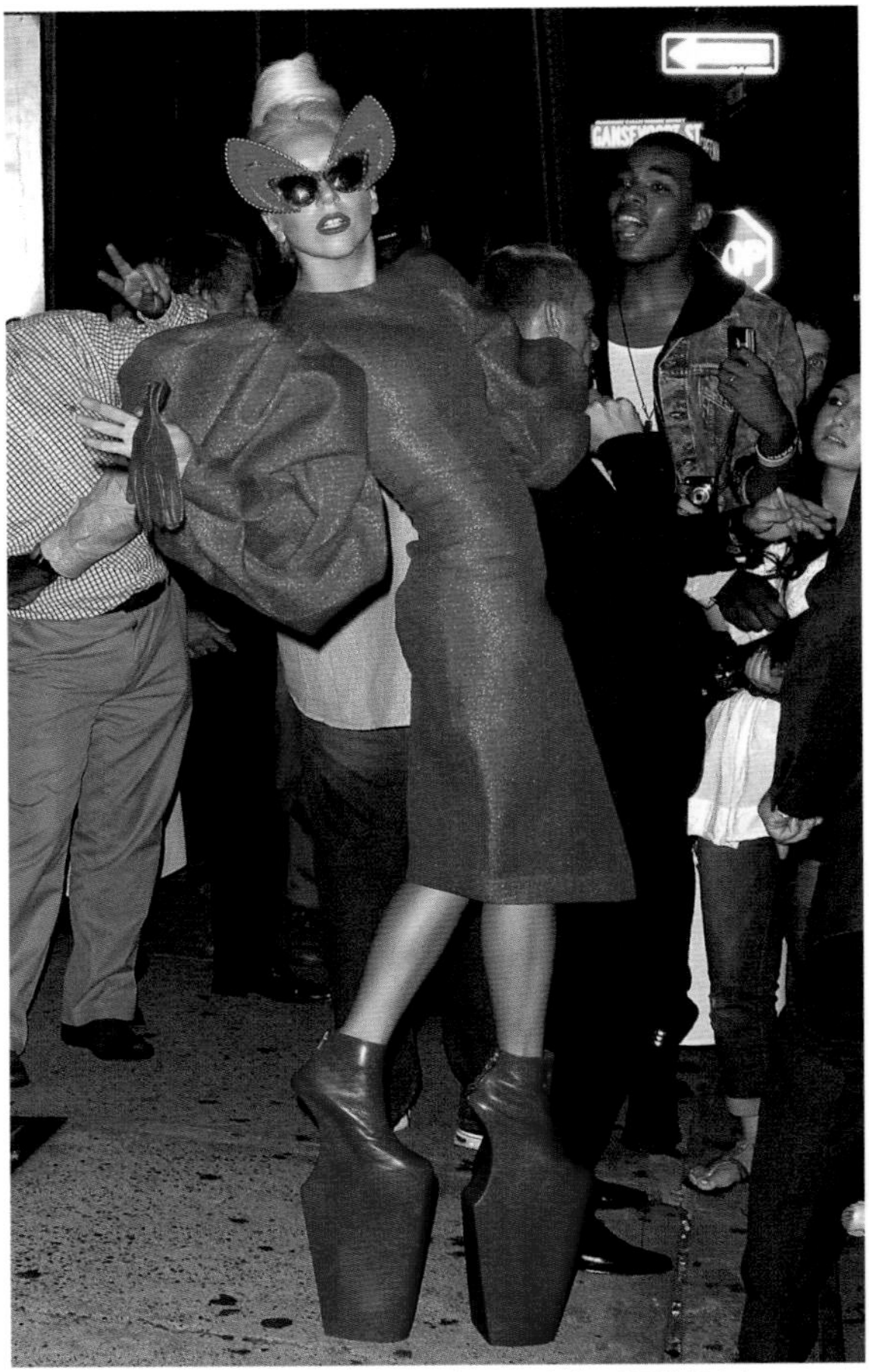

★4 ヒールレスシューズを履いたレディー・ガガ。映画俳優としての活動に主軸を移した感があるが、ぜひファッションアイコンとして、その存在感を発揮してほしい。
写真 : Eagle Press/アフロ

問は便宜的なことばかり。作り手が大切にしていることは、あまり関係ないんだなと思うと結構ショックで、自分が身を置きたいのはファッションではなく、アートの世界だなと思ったんです。

右近　なるほど！

舘鼻　ファッション業界にいると「ブランドを作って、これを大量生産して売りましょうよ」みたいな売り込みがあるんですけど、自分は別にそういうことを目指しているわけではないし、今はアートに移ってよかったなと感じています。ファッション業界であれば、創業者がいなくなった後も名前は残ってブランドは続いていくけれども、アートの世界は作家が死んだら基本的に終わり。自分がやりたいのは、ブランドを運営することよりも、作家として生きることだという気がしていて。

右近　当時は色々なショックがおありだったと思うんですが、舘鼻さんにとっては必要な流れだったんじゃないでしょうか。それにしても、レディー・ガガとの出会いは大きなものだったんですね。

舘鼻　彼女とは、2010年の歌番組以降、2年ぐらいずっと一緒に仕事をさせてもらったんです。それは本当に特別なことだったし、すごく恵まれていたなと思います。ただ、スケジュールが常に超カツカツで、連絡が来て2日後くらいには納品しなきゃならなくて。当時は一人でやっていたので本当に大変でした。

右近　そんな無茶なスケジュールで作っていたんですか⁉

舘鼻　フェデックスが集荷に来ちゃうから、もう必死です（苦笑）。当時は鎌倉の実家に住

んでいたので、集荷に間に合わない時は横浜の海外出荷倉庫まで自分で持って行っていました。でも、そうやってなんとか頑張ったから、仕事が続いたんだと思います。

右近　僕は、アーティストさんの中に職人気質なところを感じる瞬間がすごく好きなんですけど、今まさに舘鼻さんにそれを感じました。仕事を依頼された時に、自分の感覚やポリシーに合わなければ「それはできない」「no」と言うのがアーティストさんで、絶対「yes」と言うのが職人さん。僕の中には、そういうイメージがあるんです。

舘鼻　確かに、技術を尽くして、言われたことは絶対完璧にやるのが職人さんですよね。頼まれるとついやってしまう僕にも、そういうところはあるかもしれない（笑）。ただ、あの2年間みたいなことは、もうできないと思います。2年の間に25足以上作ったんですが、本当にいい経験になりました。そこで色々なデザインを生み、精査できたのは、彼女に鍛えられたお陰です。実際、それ以降、新しいデザインのヒールレスシューズを作っていないんですよ。

欲しいものがあるなら自分で作ればいい

右近　舘鼻さんは、ご自分が表現する上でいちばん強く影響を受けているのは、どの時代に触れていたものだと思われますか？　僕は最近、自分は結局、**すごく根幹的なところで影響を受けたものから発想している**なと感じることが多くて。

舘鼻　僕も子どもの頃に受けた影響は強いと思います。僕の母は、シュタイナー教育で使うウォルドルフ人形[★5]の人形作家で、その作り方の講師もしているんです。家には母のアトリエ兼教室があって、小さい頃からその材料や道具が、当たり前のように身近にありました。母は、おやつも全部自分で作る人で、僕の友達が家に遊びに来ると、手作りのケーキを出してくれました。小さい頃は、それが嫌でしたが。

右近　手間ひまの掛かった、最高に贅沢なおやつじゃないですか。

舘鼻　今ならそれがわかりますけど、昔はずっと「うちは貧乏だから、お店のケーキやお菓子が買えないんだ」と思っていたんです（笑）。玩具も全然買ってもらえなくて、いつも「遊びたいものや欲しいものがあるなら、自分で作ればいいじゃない」と言われていたので、僕も色々手作りしていましたね。自分で買ったミニ四駆用のサーキットを、段ボールから作ったりして。それが今の仕事に繋がっている感じです。美術の大学へ行くことを勧めてくれたのも母だったので、感謝しています。

右近　ファッションデザイナーになろうと思われたのは、どういったきっかけで？

舘鼻　きっかけは……コンビニですかね。実家があるのが鎌倉の山のほうで、結構田舎だったんですけど、中学の時に近くにコンビニができて、そこが情報の窓口になったんです。雑誌コーナーには、ストリートファッション誌から「VOGUE」まで、見たことのない雑誌が並んでいて、それを見ているうちにファッションに興味が湧いて、東京の洋書店へ海外のファッション誌を見に行くようになりました。でも、メンズのファッション、要するに自分が着るものを作りたかったわけではないんです。当時から、ある意味、作品的な価値観で洋服作りをしたいと思っていましたね。

右近　（アトリエ内を見回しながら）今は平面作品や、インスタレーション作品の制作もされ

★5　舘鼻が子どもの頃に実際に使っていた、母手作りのウォルドルフ人形。ウォルドルフ人形は、シュタイナー教育を背景にヨーロッパで生まれた、子どものための抱き人形。羊毛などの自然素材を使って、子どもにとって身近な人が手作りする。顔のつくりがシンプルであることが特徴。

ているんですよね。

舘鼻　ええ。でも、表現していることは変わらないです。僕は「Rethink」という言葉を使っているんですが、絵画や彫刻の制作も「過去を見直して現代でどう表現するか？」みたいな感覚でやっています。たとえば、この絵のモチーフは雷と雲なんですが、神社とかでよく見る白い紙を細く切ってジグザグに折った紙垂《しで》も雷をイメージしたもので、邪悪なものを追い払う意味があるんですよ。そうやって普段目にしているのに意外と気づかないものを、現代のフォーマットで表現して、そこに込められた文化や美学を今の人たちに伝えたいなと僕は思っていて。ヒールレスシューズにしても、制作の背景には、分断されているような印象がある和装の文化と現代のファッションの間に入りたい、江戸の文化を現代に翻訳して未来に繋ぎたいという思いがあるんです。

右近　素敵です。僕も歌舞伎の魅力を少しでもたくさんの人に伝えて、歌舞伎を未来に繋ぎたい。以前は「自分のために歌舞伎を最大限活用しなきゃ」と考えていたんですが、この1年くらいで歌舞伎に対する思いがすごく強くなっていて、最近はずっと「大好きな歌舞伎のために自分ができることは何だろう？」と考えています。舘鼻さんも日本のアート界に対して、そういう思いをお持ちだったりしますか？

舘鼻　正直そんなに考えてはいませんね。アーティスト同士がコラボレーションすることはあっても、ライブで共演するような機会はあまりないので、そもそも〝チーム感〟が希薄なのかもしれません。とはいえ、海外で仕事をする時は、やっぱり〝日本のアート代表〟というような責任を感じます。そういうふうに見られますしね。あと、自分の出身校

holbein
HIPPY

holbein
HIPPY

に対しては色々思うところがあったりします。

右近　たとえば、どんなことですか？

舘鼻　僕が藝大にいた頃は、作家として成功できないなら、美術を諦めるしかないみたいな感じで、中間がなかったんです。でも、たとえば作家になる過程で、プロのアーティストのところで働くという選択肢があったっていいですよね？　アーティストの仕事をサポートする傍ら、自分の創作活動も続ける、みたいな。それで僕の会社では、制作スタッフには出身校の人を正社員として採用しているんですけど、大学には「雇われたら負け」みたいな感じがあって。その結果、せっかく藝大を出たのにアートと関わりを持てなくなる人が多くいるのは、すごくもったいないことだし、日本にとっても良くないことだと思うんですよ。

右近　確かに、もったいないですね。そんな舘鼻さんが今興味を持っているのは、どんなことでしょう？

舘鼻　今は、次のプロジェクトのことで頭がいっぱいかもしれない（笑）。僕は展覧会を開く時、まずテーマを設けるんです。たとえば2018年には、京都のお香の老舗「松栄堂」とコラボして、日本の香りの文化にフォーカスした展覧会を行いました。文楽の時と同じように色々勉強して、松栄堂の畑社長と話しながら作品作りをして。

右近　すごいですよね。文楽にしても、お香にしても、自分がやったことのない分野に挑戦されていて。

舘鼻　そこはやっぱりチャレンジしていかないと、世界が広がらないですから。もちろん

怖さもありますが、こちらの意気込みを見せれば、皆さんそれを感じ取って協力してくださるので楽しいです。そのための勉強、インプットは毎回大変なんですが、僕は子どもと一緒に遊ぶことでリフレッシュしています。プロの美術家として活動するようになって以降、物事をなかなか無垢な状態で楽しめなかったりするんですが、子どもと遊んでいると、シンプルに仕事から解放されて楽しいし、リセットされる感覚があって。やっぱりアートには、そういう**プリミティブで無垢な視点が必要**じゃないかなと感じますね。

右近　僕の場合、インプットとアウトプットは、呼吸に近い感覚があります。やっぱり一旦出さないことには、吸収もできないというか。

舘鼻　バランスが取れているということですね。

右近　そうですね。でも、吐きすぎちゃって吸えていない時や、アウトプットしたくて役者をやっているのに、向いていないんじゃないかと思うこともあります。僕、子どもの頃から毎回緊張して、公演が始まる3日ぐらい前からお腹を壊すんです。20代半ば頃から徐々に治っていたのに、このところまたそうなってきちゃって。僕も子どもの頃の無垢な感覚は大事にしたい。でも、そこはリセットされなくていいのになあって思います（笑）。今日はお忙しい中、ありがとうございました！

7 中野泰輔

CASABLANCA

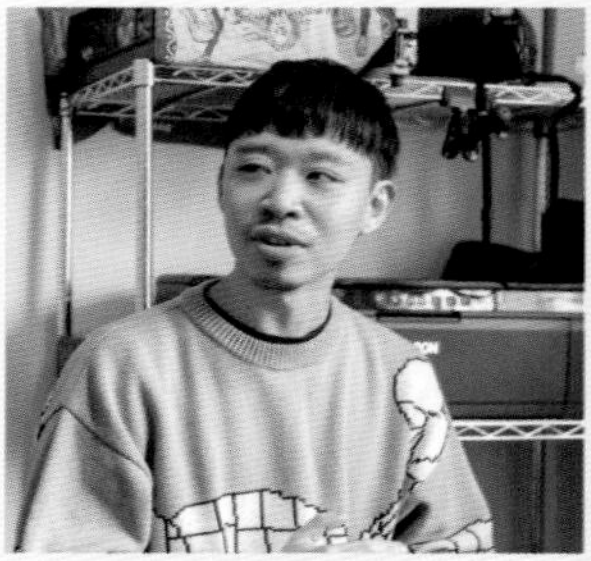

中野泰輔　Taisuke Nakano
1994年生まれ。東京都在住。武蔵野美術大学映像学科卒業。2018年に《Hyper≠Linking with…》で第18回写真「1_WALL」グランプリを受賞し、翌年「中野泰輔展『HYPER/PIP』」を開催。2021年、第44回写真新世紀にてライアン・マッギンレーに選出され優秀賞を受賞。

中野泰輔氏は、独特の観点と表現法が光る写真家。28歳にして2度の受賞歴を持ち、今後のさらなる展開も楽しみな若手作家の一人だ。初めての自分より年下のアーティストとの対談に、右近もいつになくリラックスした様子。性格的には対照的な印象がありつつも、同年代ならではの自然な会話を楽しんでいた。

疑似恋愛的な感覚が大事

右近　中野さんが写真を始めたきっかけは何だったんですか？

中野　そもそもは、親に絵画教室に連れて行かれたことかもしれないです。出身が九州の田舎で、周りの子どもは大体みんな野球をやっていたんですけど、俺はそういうのが好きじゃなくて。そしたら、親に絵画教室に連れて行かれて、そこから段々絵が好きになって、絵はずっと描いていましたね。でも、美大に行こうとは思ってなかったです。

右近　いつ頃から美大志望に？

中野　高校の先生に「ムサビ（武蔵野美術大学）の写真だったら、お前行けるかも」みたいなことを言われて、映像学科の推薦入試を受けたんです。週の半分くらいは学校をサボって映画を観ていたくらい映画が好きだったから、ムサビで映像を学ぼうかなと思って。でも、やってみたら映画って、作るのにめちゃめちゃ人が要るじゃないですか。それがもどかしくて、写真のほうがいいかなと。

右近 一人で何かすることに抵抗がない人なんですね。

中野 そうですね。写真を撮る時も、人が大勢いるとダメかもしれない。右近さんは、小さい頃から歌舞伎の舞台に立たれているんですよね？

右近 6歳から稽古を始めて、7歳で役者として初舞台を踏みました。まあ、僕の家自体は、歌舞伎役者の家ではなく、清元という歌舞伎音楽をやっている家なんですけどね。

中野 俺、コロナのワクチン接種を文化庁の枠で受けたんですけど、会場で順番待ちをしている時に、歌舞伎で三味線を弾いているという人から声を掛けられたんです。「歌舞伎の研修を受けませんか？　人が足りなくて」って。

右近 スカウト⁉　清元の三味線方の人だったりして（笑）。

中野 お断りしたので、そこまではちょっとわからないんですけど、人が足りないなんてこと、あるんですか？

右近 ありますよ。歌舞伎の興行があるのは、歌舞伎座と国立劇場だけじゃないし、同じ歌舞伎音楽の中でも、清元は、ある種、長唄みたいに通俗的な音楽ではないですから。たとえば、長唄がわかりやすくて入っていきやすいポップスだとすると、**清元はもっとコアなジャズみたいな感じ**。その分、奥深いし、清元だから表現できることもあるんですが、その魅力がわかって辿り着くまでに結構時間が掛かったりするので、長唄に比べると、

やっている人の数が少ないんです。

中野 なるほど。右近さんは、その清元と、さらに歌舞伎役者として、女形と立役の両方をなさっているわけですよね。すごいなあ。自分はジェンダーの問題に関心があって、読書会をやったりしているんですけど、自分とは違うジェンダーを演じるということが、あまり想像できなくて。違う性別のロールをやるって、難しくないですか？

右近 歌舞伎の場合は、いきなり現代の女の人になるわけじゃないので、またちょっと違うんですよ。女形は、男が理想とする一つの架空の性別みたいな存在なので。ただ、恋人同士を演じるような時は、立役に好かれよう、興ざめさせないようにしようという気持ちになりますね。たとえば女形さんは、ニンニクを避けたり、楽屋のトイレで立って用を足さないようにしたり。恋人役の人と並んで用を足すなんてことになったら、気まずいじゃないですか（笑）。

中野 確かに（笑）。

右近　僕の場合は基本的に、師匠や先輩に対して〝惚れる〟という感覚を持っているんです。師匠への憧れ、男が男に惚れている状態が、子どもの頃からベースとしてあるから、女形の気持ちにすんなりなれるのかなと思いますね。

中野　それは疑似恋愛的な感覚？

右近　そうですね。立川談志さんが「師匠と弟子の関係性は、弟子が師匠に惚れていないと成り立たない」「惚れられない師匠なんざ、ろくな師匠じゃない」と言っていたんですけど、確かにそうだなあと思って。そういう意味でも、自分も憧れられる存在になっていかなくちゃって、30歳になって考えるようになりました。中野さんは、憧れとかあるんですか？

中野　自分は身の回りのものから撮り始めて、結構ゆるゆると自由にやってきたので、特に師匠だと思う人はいませんね。でも最近、自分が中学生ぐらいの時に写真集を買っていた作家さんとお会いしたり、声を掛けてもらったりする機会があって、そういう時は「こういう人に影響を受けてたな」とぼんやり思ったりします。写真に表れてはいなくても、撮り方みたいなものが一緒だったりして。

右近　どういう方の写真集を買っていたんですか？

中野　最初に写真集を買ったのは、ニック・ナイトっていうイギリス人の写真家です。最高級のファッション写真を提供しているイメージメーカー的な写真家で、人に言うと、自分と全然タイプが違うねって言われるんですけど、何か好きなんですよ。ちょっと青っぽい写真で、ファッションフォトなのに不気味系で、カッコいい。あとはヴォルフガング・ティルマンスとか、川内倫子さんの写真集にも結構影響を受けています。

問題点を作品にする

右近 中野さんの後ろにある、この赤ちゃんの写真は、賞をとった作品ですよね？

中野 そうです。大学を卒業したての頃に「1_WALL（ワン・ウォール）」というコンテストの写真部門でグランプリを受賞した《Hyper＝Linking with…》の中の1枚です。僕は18歳の頃、自分の家族の写真ばかり撮っていたんですね。美大に入って「作品を作りなさい」と言われたものの、どう作ったらいいかわからない。そんな時に、鷹野隆大さんという写真家の「問題を見つけるといい」「自分の中の問題や嫌なことを、もうちょっと見るといいよ」という言葉に触れて、実家に帰って家族を撮り始めたんです。Instagramもそうですけど、写真って大体、自分が好きなもの、気に入ったものを撮るじゃないですか。だったら俺は、嫌なものを撮ろうと思って。

右近 実家が嫌だったんですか？

中野 嫌でした。田舎だし、閉鎖的で。写真とか見てわかるかもしれないですけど、俺、ゲイなんです。自分がゲイで美大に行っているから、魔女狩りに遭って迫害されるんじゃないか、みたいなイメージがあって。親との関係も面倒だったんです。自分は映画を観たり、本を読んだり、服を買うのが大好きなんですけど、うちの親はそういうことを無駄だと考えて省くような人たち。違う生き物すぎて、話が全然合わないんですよ。それで作品にしたら、親との問題がちょっとスッキリしたというか、「ま、いっか」と思えるようになって。

右近 へえ！ 作品作りで苦手なものに向き合うことが、ある種、セルフコーチングというか、セラピーみたいになっているのかも。じゃあ、結構順調だったんですね。

中野　いえいえ、そこから東京で遊び始めちゃって（笑）。作品もあまり作らずに、男の人のところを転々としながら放浪していました。そんな中、超いい感じの人に出会って同棲を

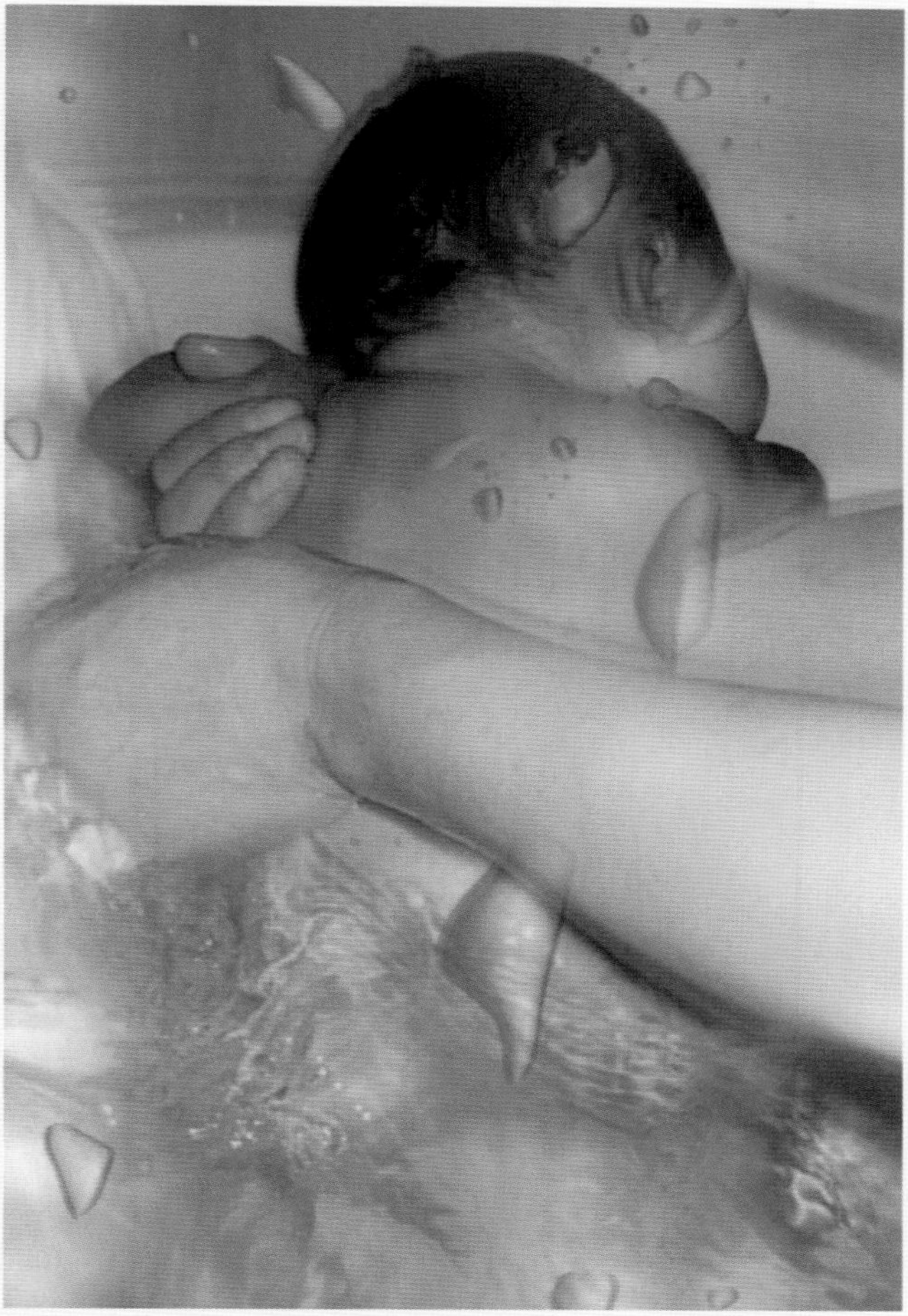

本文中で言及されている《Hyper ≠ Linking with…》（2018年）の中の1枚。
©Taisuke Nakano

始めて、「もう作品も作らなくていいし、このまま普通に幸せに暮らそう」と思っていたら、その人がバイセクシャルで、「将来的には子どもが欲しい」みたいな話をし始めたんです。俺は産めないのに。

右近 それは結構ショックですね。

中野 同じ頃、うちの母親にカミングアウトしたんです。恋人と二人で家を借りるために住所を変更しようとしたら、母親に「あなたの経済力でそんな場所に家を借りられるのか」って言われて、面倒くさくなっちゃったから、「俺はゲイで、今いい感じの人と暮らしている」って。そしたら、お母さんまで「ゲイなのは全然いいんだけど、孫が欲しい」とか言い出して。みんなが子どもを欲しがり始めて、何か気持ち悪いな、また問題ができたな、作品作らなきゃと思って、1_WALLに応募したのがこれなんです。

右近 この水みたいな加工はどうやって?

中野 フランス料理のゼリー寄せを作る時みたいに、大きなガラスの平皿に寒天で層を作って、そこに写真のフィルムを漬けておくと変色していくんです。3日間ぐらい放置したものをスキャンすると、こんな感じになります。

右近 もとからある手法なんですか?

中野 いえ、自分で作りました。その時付き合っていた人がカミングアウトしてなかったから、恋人の写真を撮っても発表できない。それで、写真を変色させたり、変形させなきゃと思って。出産=羊水みたいなイメージで、水系のものを写真に引っ張り込みたいなとも考えていたんです。そんな時に、働いていたレストランでゼリーを見て、これ、使えるか

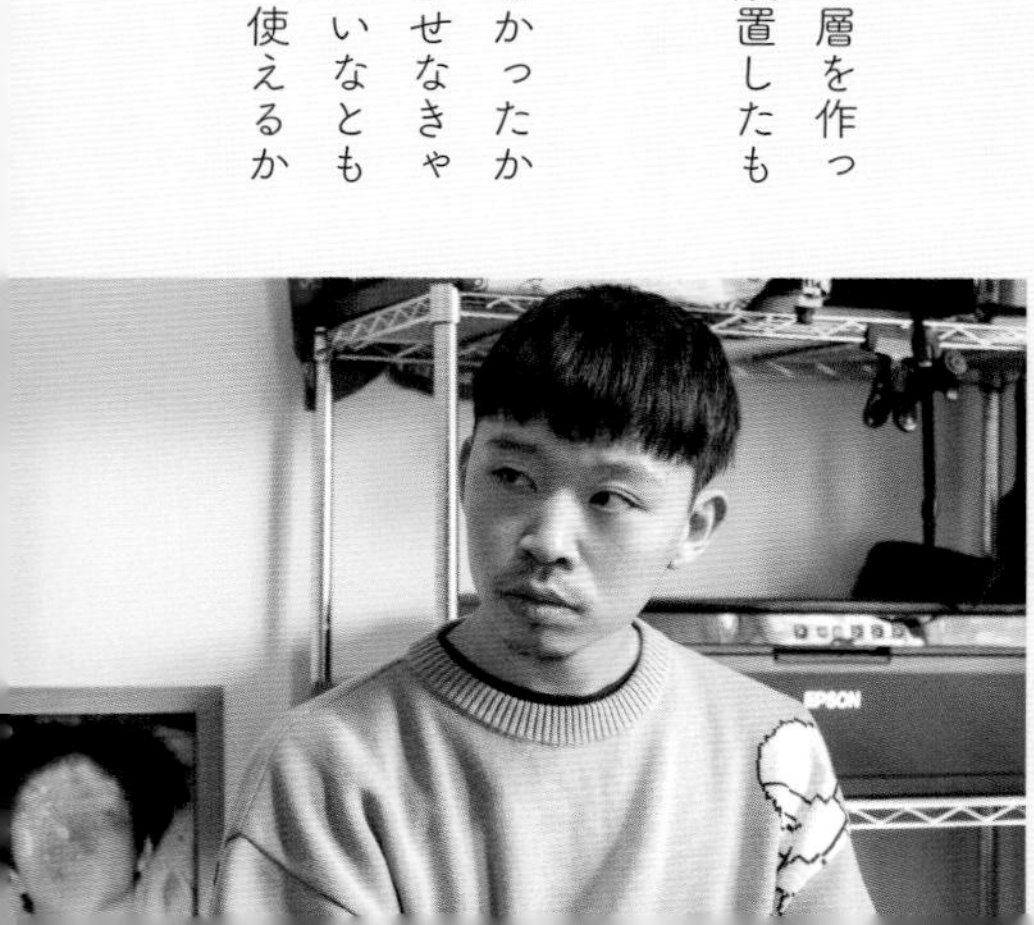

も！と。そういうイメージで、妹やその時付き合ってた人をわーっと撮って応募したら受賞して、〝放浪するゲイ〟から〝写真をやってる人〟になりました。

右近 写真家として活動を始めたわけですね。

中野 はい、ゆるゆると。そしたら急に世界がコロナになって、半年くらい「家から出ないでください」みたいなことになっちゃって。俺、家の中にずっといるのがダメで、すごく落ち込んだんです。それで鬱々としてチャリに乗ってたら、信号無視の車にはねられちゃって。

右近 うわあ、それは大変でしたね。

中野 血がかなり出て、すごく痛くて。でも、それで何かこう「自分って、まだ生きてたんだな」と感じたんです。閉じこもって鬱々と暮らしていたのが、痛みで一気に「自分って、身体持ってるんだ」みたいな感じになって、そこからなぜか次の作品を作り始めました。

右近 この「写真新世紀」で賞をとった『やさしい沼』シリーズ[★1]は、そんなきっかけでできた作品なんですね。

中野 事故の後、リハビリを受けるうちに、自分の身体をめちゃめちゃ意識するようになったんです。同じリハビリ施設にいる、俺と同年代の人たちのことも「こういう身体の使い方をしているんだ」とか思いながら、じっと見るようになって。で、自分と同年代くらいの人のヌード、性的なものじゃなくて、ストレートにぽんと男の身体があるようなものを撮ろうかなと思ったんです。

右近 作品を作っている時は、いつもどういうメンタルだったりするんですか？　わりと

淡々と作業する感じ？

中野　作品は、別の脳で作っているような感覚がありますね。探偵とかＦＢＩが出てくる映画に、犯人に繋がる色々なものが壁にわーっと貼られているシーンが出てくるじゃないで

中野泰輔『HYPER/PIP』シリーズ（2018年）より。　©Taisuke Nakano

★1　中野泰輔『やさしい沼』シリーズ（2021年）より。　©Taisuke Nakano

すか。そこから犯人像をあぶり出すみたいな。そんなふうに、自分の中にあるイメージを表現した1枚ずつがちょっとずつ繋がって、最後に一つにまとまるような感じ。だから、本を1冊作るような感覚に近いです。たぶん映画が好きで、映画を作りたかったことも関係している気がしますね。あと『ツイン・ピークス』という、変わった捜査方法で犯人を捜す昔のテレビシリーズが大好きなので、その影響も大きいと思います。

表舞台よりも裏側が見たい

右近 それにしても、これを撮りたい！という気持ちが湧くとか、共感を得るものを作ろうということじゃなく、自分の問題を形にすることで共感を得るというのが興味深いです。

中野 写真を撮る動機が、人とズレているんですよね。そもそも、みんながいいと思うものを撮るのは、写真家の仕事ではないとも感じていて。みんなが見ていいと思うものは、スマホで撮ったって、よく見えますからね。自分はそれよりも、みんながあまり見たいと思っていないものや、知らないものに興味があります。歌舞伎にしても、表舞台よりも裏側が見たいし、撮りたいですね。

右近 まあ実際、たくさんのプロセスや裏側の支えがあってこその表舞台ですからね。僕は、自分が舞台の真ん中に立たせてもらう時は、なるべくいい空気感で本番がやれるように、裏で「幸せの言葉しりとり」をやったりしますよ。「ありがとう」とか「嬉しい」とか、何でもいいんです。「一攫千金……あ！〝ん〟で終わっちゃった！」みたいなことをやりながら、みんな笑っていこう！って。
中野 何か、いいですね。俺の場合は、自分がマイノリティ側にいるから、裏側とか陰のほうばかり見るようになった気がします。だからと言って、マイノリティを主題にした作品を作ろうとは思わないですけど。自分が代表者なわけじゃないから。
右近 僕なんか、勝手に使命を感じ始めていますよ（笑）。歌舞伎を少しでも盛り立てていかなくちゃって。
中野 でもさっき伺ったように、歌舞伎の方ってデビューが早いじゃないですか。自分の主軸ができ上がらないうちから舞台に立つって、どんな感じなのか、すごく興味があります。きっと、なんでそんなことをするのか、わかっていない状態だったりしますよね？
右近 僕はわかってましたよ。ずっと天才だったから……というのは冗談ですけど（笑）、天才の先祖から受けたエネルギーが相当強かったから、目指すものは最初からはっきりしていましたね。曽祖父の六代目 尾上菊五郎が踊る『春興鏡獅子《しゅんきょうかがみじし》』★2の映像に魅せられて、3歳の時に自分から「これになりたい！」と言い出した人間なので。っていうか、僕、いまだにそこから何も変わっていないかも（笑）。
中野 そうなんですね。とはいえ、右近さんと違って、やりなさいと言われて始めた人もいますよね？
右近 いるでしょうね。でも、そういう人も長くやっていれば必ず〝腹を括る〟タイミングがくる。「マジでこれが好き」というところから入っていなくても、みんなそれぞれ、この世界に骨を埋める覚悟をどこかのタイミングでしているんだなって、最近思います。そうじゃなきゃ、とてもやり続けられないことだから。

中野 すごいなあ。俺は野良だから、骨を埋めるとか無理だと思う。今もまだレストランで働いているんですけど、たぶん写真一本で十分稼げるようになったとしても、週1くらいはレストランで働く気がしますね。

右近 それはどうして？

中野 コンビニで働いている時しか自分を実感できない女の人が出てくる『コンビニ人間』（村田沙耶香著）という小説があるんですね。それを書いた作家さん自身も、長年コンビニで働いていたんですけど、その小説が芥川賞をとって、急に作家業が忙しくなった。それでも半年後にはコンビニ勤めに復帰して、両立が厳しくなってきた受賞後2年後くらいまで、

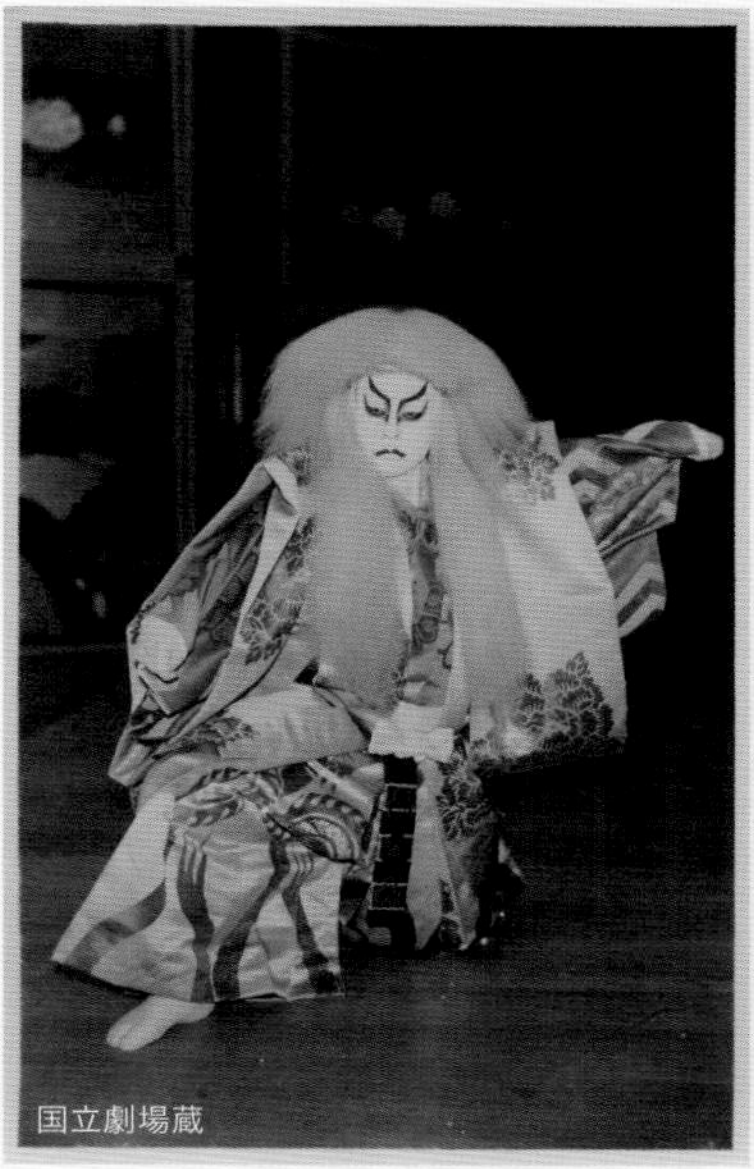

★2　右：六代目 尾上菊五郎『春興鏡獅子』小姓・弥生（1939年12月）
左：六代目 尾上菊五郎『春興鏡獅子』獅子の精（1940年11月）
『春興鏡獅子』は、能『石橋』に取材した長唄舞踊。大奥の行事「御鏡餅曳き」の余興として、小姓の弥生が踊りを披露。飾られていた獅子頭を手にすると、獅子の精が乗り移り…という内容。可憐な娘と勇壮な獅子の精との踊り分けが眼目で、終盤の毛振りは最大の見せ場。明治26（1893）年に九代目 市川團十郎が初演、六代目 尾上菊五郎が復活させて当たり役とした。その姿は、国立劇場ロビーの平櫛田中による彫刻のモデルにもなっている。

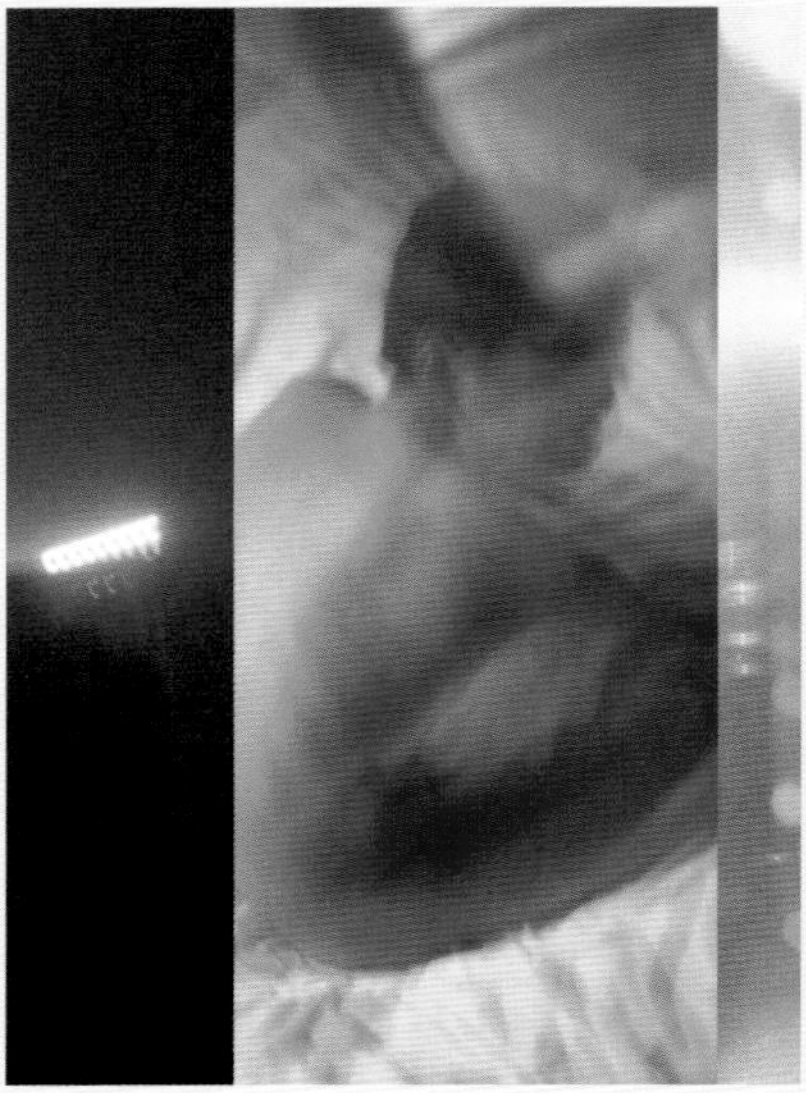

中野泰輔『やさしい沼』シリーズ（2021年）より。
©Taisuke Nakano

コンビニで働くのを辞めなかったそうなんです。その記事を読んで、俺もそっちかなと思って。

右近 なるほど！ 面白いなあ。

中野 一方で、窮屈な日本を抜け出したい気持ちもあります。日本が嫌いなわけじゃないんですけど、道徳心が変に強くて、芸能人が不祥事を起こすと許さなかったりするじゃないですか。**間違いを犯すことを許さない社会は、ちょっと怖いなと思って。**それでいて、みんな政治にあまり関心がないのも不思議だし、何かこう、いろんな規制というか、圧力を感じますよね。

右近 たとえば、どんな？

中野 以前、自分の名前でTwitterをやっていて、どうでもいいことばかり普通に書いていたら、俺の写真が好きだという男の人に、「中野さん、Twitterやらないほうがいい」って言われたんです。イメージが崩れるって。その時、いろんなことを制限されているなと感じました。こういう作品を作っている人は、こういうふうな世界観じゃないといけないみたいなことが、すごく窮屈だなって。

右近 僕はもう、そういう窮屈さにはすっかり慣れちゃって、その隙間隙間にある自由を見つけることが喜びになっているかも（笑）。まあ、それでも腹から笑えている自分がいるし、そもそも僕は本当の自由が苦手なんですよね。「どの色を使ってもいいですよ」より、「3色のクレヨンで何を描きますか」と言われたほうが楽しめて、力を発揮できるタイプ。ある程度枠があったほうが安心できるんだろうな。写真は型も何もない世界だから、何をやってもいいわけですよね。作品を出すのが怖かったりはしない？

中野 それはないかも。美大の学生に、たまにTA（ティーチングアシスタント）として教えに行くと、「作品を出すのが怖いんです」みたいなことを言う子が結構いるんですけど、俺は一度も共感したことがなくて。人の批判とか、あんまり気にしないから。自分自身も傷つけるトゲトゲ系の作家もいますけど、あれは俺にはわからないし、健康によくない気がしますね。仕事も表現も、全部生活の上に成り立っているわけだから、健康第一でやりましょうよって思います。

右近 その考え方、めっちゃいいと思う。最後に、中野さんが生きる上でいちばん大事にしていることって、何ですか？

中野 好奇心ですかね。小さい頃、『家政婦は見た！』っていうドラマが大好きで。あれ、原作が松本清張なんですけど、主人公の家政婦は別に何も解決しないし、制裁を加えたりもしないんです。ああいう「この人は、なんでこういうことをしているんだろう？」みたいな精神は、大事かなって思います。異常なものや嫌なものがあった時に、「理解できない」とか「生理的に無理」とシャットアウトせずに、そこで「なんでこんなに嫌なんだろう？」と分析する癖を大事にしたいなと思います。

右近 大事ですよね、好奇心。僕も持ち続けていきたいです。今日は楽しかったです！

8 友沢こたお

dansko

人形や人物の顔面に色彩豊かなスライム状の物質がまとわりつく独特の具象画で、見る者に強烈なインパクトを与える友沢こたお氏。個展を開けば、作品は即日完売という、いまや大注目の若手画家だ。さて、一見、写真に見えるほどリアルで、実物以上に艶やかで滑らかな絵の質感は、どこから来るものなのか？　そして、右近との意外な共通点は……？　年齢が比較的近いこともあり、表現をめぐる様々な話題に華が咲いた。

友沢こたお　Kotao Tomozawa

1999年、フランス・ボルドー生まれ。東京藝術大学美術学部絵画科油画専攻で学び、2019年度久米賞受賞、2021年度上野芸友賞受賞。近年の個展に、「INSPIRER」（Tokyo International Gallery、東京、2022年）、「SPIRALE」（PARCO MUSEUM TOKYO、2022年）、「Monochrome」（FOAM CONTEMPORARY、東京、2022年）、「caché」（tagboat、東京、2021年）、「Pomme d'amour」（mograg gallery、東京、2020年）など。現在、東京藝術大学大学院美術研究科に在学中。

追い込むことで得られるもの、削がれるもの

右近　このスライムの絵はどうやって生まれたんですか？

友沢　このシリーズは、本当にたまたま、偶然できたような感じなんです。友達が家に置いていったスライムを、気づいたら自分でかぶっていた、というところから始まっているので。このシリーズで急に人気が出て、ありがとうございますという感じで描いているんですけれども。

右近　大学院の学生さんでありながら、めざましいご活躍ですよね。去年（２０２２年）１年で何回ぐらい個展を開かれたんですか？

友沢　去年は３つ連続でやりました。６月から11月は、物理的な締め切りがガンガン押し寄せて来て、「何日寝てないんだろう？　レッドブル何本飲んだのかしら？」みたいな状況でしたね。「あー、今これ、描かされちゃってるなあ」っていうしんどさを痛感して、結構自分が壊れるような感じがありました。でも、それを経験したからこそ、今は締め切りとかあまり関係なく、好きに描いていられます。「絵描くの気持ちいいな」って、ピュアな心で喜んだりできるようになりました。できれば、もうあんまり締め切りには追われたくないです。

右近　売れるって大変なことだと思うから、そういう時期も必要なのかもしれないけど、できれば若いうちに経験したほうがいいですよね。自分が自分じゃいられないような状況に、耐えられるのが若さだと思うし。

友沢　そうですね。あのタイミングであそこまで自分を追い込めたのは、わりとよかったかなと思います。自信がついたんですよね。「私、あれをやってのけたんだよ」って。

右近　それは大きなことですよね。

友沢　あと、雑巾をガーッと絞って、これ以上もう腕を捻れない、でもまだ絞るぞ、みたいなところで、最後に一滴出た搾り汁みたいな絵が描けたんです。その時の記憶はないんですけど、この絵が自分的に良い絵で、そこまで追い込んだから出てきた、無意識の表現もあるのかなと思ったりして。そういうちょっと変態チックな追い込み方、わりと嫌いじゃないんです（笑）。めっちゃ消耗するので、あまり頻繁にはできないですけど。できて、1年に1枚くらいかな。右近さんも、もう限界だ、でも何かイケてる！みたいな時、ありますか？

右近　ありますね。でも、うーん……限界って、どういう時だろう？

友沢　あの……歌舞伎で頭をすごく回すのがありますよね。長い毛をブンブン振って。あれは、どういう気持ちでやってらっしゃるんですか？

右近　ああ、獅子の毛振りですね！　あれに限らず、歌舞伎のパフォーマンスで、見ていて大変そうなことや、すごく激しい動きをしている時は、本人はものすごく集中しているから、〝台風の目〟にいるような感じなんですよ。まったく無音の真っ白な世界に、ストーンといる

というか。だから頭はものすごく振ってますけど、気持ち的にはとても静かで、顔はめちゃくちゃ真顔です。

友沢　台風の目！　カッコいいです！　でも見ていて何となく、そんな気はしていました。そもそも、ちゃんと鍛錬していないと、あんなに頭を回したらぶっ倒れると思うんですよね。素晴らしいです！

右近　嬉しいです。でも、本当にカッコいいのは歌舞伎ですよ。だからこそ、「身体、結構ヤバいかも」と思うくらいまで、自分の痛みを捧げられる。もちろん、やり過ぎて身体を壊したら何にもならないので、健康をギリギリ維持できるくらいのバランスが大事ですけど。

友沢　身体がダメになってくると、台風の目から出ちゃいそうですもんね。私も去年、身体が削れていくように感じたので、もうレッドブル飲んで徹夜するのはやめようと思ってます。右近さんは、何もしていない時はどんな生活をしているんですか？

右近　歌舞伎を見ています。

友沢　おおーっ！　やっていない時は、見ているんですね！　勉強されているんですか？

右近　勉強というより、好きだから。家で歌舞伎の映像

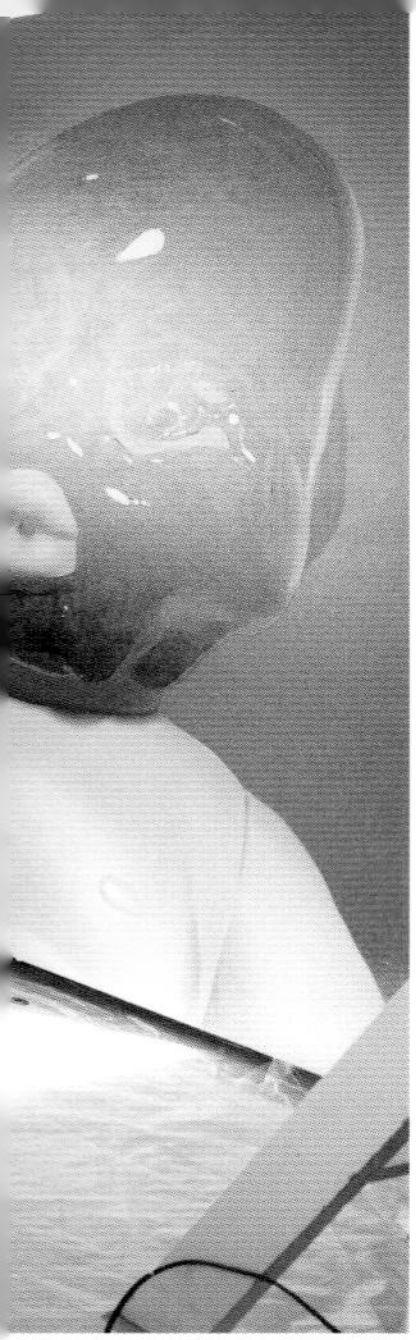

を見ながら、途中で止めたり、自分でやってみたりしてますね。学生時代なんか、「この人より絶対、俺のほうが上手い」とか思いながら（笑）。で、ちょっと泣けてきたりして。
友沢　それは、何泣きなんですか？
右近　何だろう……「俺のほうが歌舞伎を愛してるな」とか「早く歌舞伎やりてー！」とか思ってるうちに、なぜか泣けてきちゃったりするんですよ。
友沢　素敵！　歌舞伎に夢中なんですね。
右近　そうですね。20代の頃は、歌舞伎という生き物に振り向いてもらうのに必死だったんですけど、振り向いてもらえたと思った途端に、その中にポーンと入っていたような感覚があって。最近は、**自分より遥かに寿命が長い歌舞伎という生き物の、細胞の一つになりたいと思ってます**。それくらい自分は歌舞伎が好きだから、歌舞伎のためにできることをやる。それが僕のやりたいことです。
友沢　シビれますね！　「細胞の一つになりたい」という言葉！　考えてみたら、それに近い感覚は自分にもあるかもしれないです。歌うとか、文章にするとか、ほかにも色々な表現方法がある中で、「どうして絵を描いているんだ？　なんでわざわざ生の身体で筆で描いてるんだ？」って考えると、そこには古代から続いている絵画というＤＮＡの押しつけというか……何でしょう……そこに自分も入りたいという一面がある気がします。たぶん、だから描き続けられるし、描いていないと落ち着かないというか、描いているのが本当の自分だ、みたいな安心感があるのかなと。

もっとパンクでいいんじゃない？

右近　こたおさんは絵を描いていない時、どうしているんですか？

友沢　サウナばっかり行ってます。サウナが大好きで。あと音楽も好きだし、映画を観たり、遊園地に行くのも好きですね。特に好きなのは、ジェットコースター。私は浮くのが好きで、あの臓器が全部ワーッと持ち上がる感じを楽しんだりしています。

右近　それはリフレッシュできる時間？

友沢　そうですね。何もしていないと、いろんなことを考えてしまうじゃないですか。私の絵はいつまで人気なのか？とか、あの締め切りはいつまでだっけ？とか、この展示会場はこういう感じだっけ？とか、考えなくてもいいことを。自分は結構繊細というか、悩みやすい性格なので、絵を描いてない時間に、そういうものがどんどん押し寄せて来がちなんです。でも、内臓が全部ワーッとなっている時や、サウナで意識が遠くに行っている時は、あまり考えないで済む。なのでそうやって、なるべく脳みそ使う範囲を小さくするような過ごし方を心掛けています。

右近　すごいなあ。自分で十分対応できている感じですよね。僕なんて、23歳は最もイライラしていた時期ですよ。理想と現実のギャップがありすぎて、バランスが取

れていない自分にもイライラして。

友沢　でも私も、今みたいな感じになってきたのは最近なんです。去年の締め切り地獄で荒れ果てた後、3カ月くらいかな。自分を分析したりする中で、ちょっと成長できました。

右近　心が荒れた時はどうしていたんですか？

友沢　お母ちゃんに、全部うわーっと愚痴ってました。お母ちゃんは、何も言わないんです。「うんうん」だけで全部受け止めてくれる。お母ちゃんがいなかったら、結構ヤバかったと思います。

右近　いちばん影響を受けたのも、お母さんだったりしますか？

友沢　そうですね。影響を受けたものはたくさんあるんですけど、やっぱり母親が大きいです。うちの母親は漫画家（友沢ミミヨ氏）なんですけど、心が広すぎる人で、いいイカれ方をしているんです。母から教えてもらったカルチャーにも、なんやかんやすごい影響を受けていると思います。

右近　たとえば、どんな影響が？

友沢　表現で言うと、私は小さい頃から「絵を描く人になる」と思っていたんですね。母の仕事の影響で、気がついたら描いてましたし、自分は絵が上手いと思っていました。でも芸術系の高校に入ったら、絵が上手い子ばっかり集まっていて、自分がクラスでいちばんデッサンが下手だったんです。それで、「もういいや、絵の世界、違ったわ」と思ってしまった時期があって。

右近　そこから、どうやって絵の世界に？

友沢　ある時、高校で出された〝透明の瓶と何かを組み合わせて描く〟という課題を家で

やっていたら、お母ちゃんに「あんた、もっとパンクにやってもいいんじゃない？」と言われたんです。それで、そこにあった赤ちゃんの人形の頭に瓶をかぶせて描いたら、すごく楽しくて。しかも、めっちゃいいのが描けて、それがすごく褒められたんです。その時の母親の「パンクでいいんじゃない？」という言葉はすごく大きいですね。いい子ちゃんでいる必要はない。何かに屈せず、のびのびと自分を解放していいんだよって言われた気がして。今もパンク感というか、何かに抗う感じは大事にしていて、それをちゃんと美しく表現するんだ、という理念で描いています。

右近　いいですね、パンク感！　僕は歌舞伎も一種のパンクだと思っているんです。江戸時代は、今みたいに色々なメディアがなかったから、歌舞伎が時事ネタも一手に引き受けていたんですよ。お上にバレないように、上手く嘘をまぶして芝居にして、真相を伝えるようなこともしたりして。でも基本的には娯楽で、お客さんに楽しんでもらうことが最優先。そのためには手段を選ばない演劇だったんです。たとえば、僕が（2023年）3月に南座でやる『仮名手本忠臣蔵』は、「生類憐みの令」という生き物を殺しちゃいけない決まりが出されていた頃に書かれた芝居なんですけど、六段目に出てくる早野勘平という元侍の猟師の家には、獣の毛皮が裏返して干してあるんですよ。そうやって、馬鹿げた決まりに不満を持っていたお客さんを、楽しませていたわけです。カッコいいと思いませんか？
友沢　カッコいいです、その反骨精神！　そういうところに踏み込んでいくのが、本当の表現の始まりだったりしますよね。「これは正しいのか？　本当にこれでいいのか？」と、世界に対して問い掛けるようなことが。
右近　そうですよね。ところが一方で、歌舞伎には歴史がある。そこが今の歌舞伎の正体が摑み難いところで。まあ、そこが魅力でもあるんだけど、とりあえず、自分たちとかけ離れた崇高な芸術ではないんだよというところを、もっと多くの人に知ってほしいなと思ってます。もっと下世話だぜっていうところを。
友沢　下世話とかワルって、いいですよね。パワーが詰まってる感じがして、すごく惹かれます。

主観と客観

右近　絵を描く時は、一気に描くんですか？　それこそ、食事もとらずに？
友沢　はい。ただ絵を描きたいという気持ちだけでハイになって、ご飯も食べないし、風呂も入らないし、気が狂ったように描き続けます。最近、自分の中で、このスライムのシリーズを再分析していて、なんでこんな感じで描いているのかな？ということが、ちょっとずつ理解できてきたんですよ。
右近　それは、どういうこと？
友沢　細かい話になっちゃうんですけど、自分は本当に幼い頃から、視野がすごく小さいんです。（片手で人差し指と親指で丸を作って覗き込みながら）これぐらいの世界をガーッと拡大して見ちゃうから、描いてるとヌルヌルしてくるんです。細かいところを追いかけると、絵ってヌルヌルしてくるんで

すよ。

右近　それは、境目がわからないくらい細かく描きすぎて、めちゃくちゃ滑らかになっちゃうってこと？

友沢　そうです、そうです！　高校時代は、石膏像を描くと「こたおちゃんのは、ソフトクリームが溶けちゃったみたいなデッサンだね」って言われたり、粘土でお友達の顔を作ると、気づいたらテカっていて、自分のだけブロンズみたいになってました（苦笑）。でも、スライムはもともとヌルヌルだから、自分らしく描くと、スライム以上にスライムらしくなるんです。だから、上手いとかリアリズムとか、写実的ってよく言われるんですけど、全然そんな描き方はしていなくて。むしろ、すごく変な描き方をしていますね。全部すごく小さい視野で、めちゃくちゃ近い距離で描いている絵だから。

右近　なるほど。それでこんなにスライムがリアルに描けるのか。最初に見た時、写真かと思いました。

友沢　よく言われます。たぶんそれは、自分ですごく気をつけて、離れたところからも見るようにしているからだと思うんですよ。そこはプロ意識というか、客観性も持ちながら、遠近両方のバランスをとるようにしているので。

右近　僕らの世界でも、舞台に立っている自分と、それを客席から見ている自分の両方の目線が必要だと言われますね。超主観で演じている時も、それを引いて見ている自分がいて、**主観と客観を行ったり来たりしている時がいちばんいいって**。

国立劇場蔵

★1 五代目 尾上菊五郎／1844（天保15）年–1903（明治36）年。屋号：音羽屋。十三代目 市村羽左衛門時代、二代目 河竹新七（のちの黙阿弥）が彼を主役に書いた『青砥稿花紅彩画』、通称『白浪五人男』が大ヒット。主役・弁天小僧菊之助は当たり役となり、以降、音羽屋のお家芸となる。1868年に五代目 尾上菊五郎を襲名。明治歌舞伎の黄金時代を築く。写真は、『梅雨小袖昔八丈』永代橋の場で、髪結新三を演じる五代目 菊五郎。

友沢　やっぱり！　それ、ものすごいプロ意識だと思うんですよ。だって、表現者としての強い軸がないと、主観と客観のどっちかに持っていかれるじゃないですか。ホモサピエンスとしてのレベルが高いと思います。

右近　嬉しいなあ（笑）。うちのひいひいじいちゃん[★1]も役者なんですけど、ある時、奥さんと喧嘩して、奥さんが物を投げようとしたんですって。でも、それを見たひいひいじいちゃんが「ちょっと形が悪い。物を投げる時は、もっとこうなさい」と指導を始めて、それで喧嘩が終わっちゃったと（笑）。それぐらい日頃から客観性を持てたら、本物のプロかもしれないですね（笑）。

友沢　相当強い軸ですね、それは。見習いたいです。

右近　ははは！（笑）こたおさんは、描くことが嫌な時って、あるんですか？

友沢　描くこと自体が嫌になったことはないです。小さい時から描いていて、本当に生活の一部になっているので。ただ最近、絵が転売されるという悲しいことがあって、そういうことがあると、ちょっと嫌だなあと思ったりして。でもまあ、それってすごく小さいことなので、描くこと自体は全然嫌になってないです。

右近　そうか。買う人って、自分で選べないですもんね。

友沢　いえ、今はギャラリーの方と一緒に選べる時は選ばせてもらっています。知らない人に転売されるのは嫌なので、「この人にはこの絵」というふうに。描くのは意外と早いんですけど、同じ絵って二度と描けないんですよね。色って不思議で、似た色は作れるけど、分子だの、光の屈折だの、混ざり具合だのをミクロ単位で考えると、まったく同じ色は一生作れないと言われていて。右近さんも、毎日同じ舞台で同じお芝居をやっていても、絶対に同じになることはないですよね？

右近　ないですね。自分の体調とか、お客さんの空気もあると思うけど、同じことを毎日やっても、絶対に違うことになる。そこがまた好きです。

友沢　それ、すごく大事なことだと思うんです。ロボットじゃなくて、生身の人間がやっているからこそ、同じにならないっていう。私も、絵の具から出したそのままの色を使わないで、自分で調合して描くと決めているので、その時の色って、本当にその時しか出ない色なんですね。たまに頑張っちゃって、**背景の色を3時間ずっと調合し続けることがあるくらい**、色混ぜにはすごく時間を掛けています。それだけに、気に入った絵が転売されると、なんでお金に切り替えられちゃったのかなって、すごく空虚な気持ちになってしまって。

右近　わかるなあ。表現には愛情が伴うから。

友沢　家庭事情がヤバくなって、家がなくなったこともあったから、最初はめちゃめちゃ描いて、誰でもいいから買ってほしいみたいな気持ちがあったんです。でも今は、自分の絵が掛け替えのない自分の子どもみたいな感覚になってきていて。

努力は夢中に勝てない

右近　表現そのものが好きでも、それに付随してくる問題が煩わしいことって、本当にありますよね。僕も歌舞伎に付随するあれこれで、面倒くさい目に遭うことがあったりします。でも、そういう煩わしさを払拭するのも、結局は歌舞伎。歌舞伎をやってる瞬間しかないと思っていて。だから、やるしかないでしょ、って感じですよ。

友沢　素敵です。私も同じマインドです。悲しいことも、イライラすることもあるけど、「でも私は描いとるんじゃ！　見とれー！」みたいな（笑）。私、YouTubeでホストを見るのが大好きなんですけど、ホストが言っていた言葉で、すごく好きな言葉があるんですよ。

右近　面白いよね、ホストの動画。僕も定期的に見てます。最年少で歌舞伎町のトップになった人と、ススキノで店に住んでるホストを交互に見るのが好き。

友沢　ははは！　右近さんも超変態ですね！（笑）。私が好きなのは〝しぶなつ〟っていうホストの「努力は夢中に勝てないよ」っていう言葉なんです。

右近　それ、僕も大好きな言葉！　水泳の松田（丈志）さんも言ってましたよ。どこから始まった言葉なんだろう？

友沢　しぶなつは、たぶん自分でそれを悟って言ってたんですよね。彼は、ほかのホストとか、ホストクラブをものすごく研究していて、日本一ぐらいのホストなんですね。で、「お前ら、どんなに努力したって俺には勝てねえからな。俺は夢中でやってるから」みたいなことを言っていて、私はもうすっかり好きになっちゃって。右近さんの歌舞伎愛を聞いていて、その言葉を思い出しました。

右近　努力は冷静にやるもので、目標もあったりするけど、夢中にはそれがない。際限がないよね。

友沢　ないですよね。酔いしれているところが、やっぱ、ええなあって思います。努力って、いろんなところで強要されますよね。日本の教育がそうだし、頑張ったら「すごいね」って言われる。確かに、頑張るのはすごいことだけど、夢中だと、努力をしていることも感じないじゃないですか。

だから何かに夢中な人は、めっちゃ素敵だな、輝いてるなって思う。おばあちゃんになっても、自分も常に何かに夢中でいたいなって、そんなふうに思います。

右近　僕も、このまま行きたいな。いくつになっても、やることの規模がどれだけ大きくなっても、その瞬間みんな熱中して、夢中になっている時間が、いちばん貴重だと思う。こたおさんはこれから先、どんなことをやってみたいですか？

友沢　海外に行ってみたいですね。あんまり行ったことがなくて。日本って、文化も独特で、面白い国だと思うんですよ。でも海外には、もっとぶっ飛んだカルチャーがきっとあるだろうし、人の考え方とか言語も含めて、果てしない世界が広がっているんだろうなと。海外でちょっと生活することで、表現での気づきもあると思うし、今年はたくさんボヤージュしたいです。あとは、音楽を作ってみたいです。

右近　音楽といえば、こたおさんのお父さんは歌手だとか？

友沢　そうなんです。でも、5歳から会ってないから、お父さんにも会ってみたいんですよね。やりたいことがたくさんありすぎて、考え出すと止まらないです。

右近　いいですね。やりたいことをガンガンやっていってほしいです。今日はありがとうございました！

尾上右近ソロインタビュー

8人のアーティストとの対談を振り返って

アーティストと関わりを持つ醍醐味

——本書の締めくくりとして、ここでは8人の作家さんとの対談を振り返っていただこうと思います。まずは対談全体の感想を聞かせてください。

充実感をだいぶいただきました。現代アートの作家さんから話を直接伺える機会は、なかなかないですから。しかも作家さんのスタジオで、一通り作品を見せていただいた上でお話を聞けるということで、とても贅沢な時間を過ごすことができました。8人の作家さんから共通して感じたのは、やっぱり自分に素直に向き合っていないと、なかなか人を感動させることはできないんだろうなということ。僕が親しくさせてもらっている上籠鈍牛《うえごもりどんぎゅう》という書家さんの書に「正直動山鬼」という漢詩の言葉があって、僕自身とても大事にしているんですが、その意味は「自分の心が正しく素直であったら、山の神をも感動させる」だそうなんですね。今回のこの対談企画で〝自分の心が真っすぐであることが、人に何かを伝える時の第一条件〟だということを、改めて一人ひとり違う形で示してもらったような気がしています。

——そもそも、どういったところに惹かれて、本企画を引き受けてくださったのでしょう?

もともとアートが好きなこともあるんですが、やっぱり作家さんに会えるというのが、僕にとっては大きな魅力でした。たとえば、ピカソや北斎の絵を前にした時も、僕はこれまで、「どういう気持ちや意図でこれを描いたんだろう? どういう人だったんだろう?」と想像しながら観ていました。そういったことを作家さんご本人に直に聞けるわけですから、願ってもないチャンスだなと。もう一つ、現代の作家さんたちに、「歌舞伎だったら、右近くんを知ってるよ」と思ってもらえるきっかけを作りたい気持ちもありました。作家さんが、ふと「右近くんと話した時に、こんなことを言っていたな」と思い出して、その作品の中で僕が数パーセントでも生きられるとしたら、最高じゃないですか。そういうことが、アーティストの方と関わりを持つ醍醐味だと思うんです。

——確かにそうですね。各作家さんと直にお話しされた印象はいかがでしたか? 第1回のお相手は、井田幸昌さん。体育館ほどもある大きなスタジオにお邪魔しました。

初回から、ものすごいインパクトでした。スタジオのスケールはもちろん、作品のスケールとエネルギーにも圧倒されて。自分と闘いながら、30歳そこそこであそこまで行っているなんて、本当にすごいと思いましたし、それでいてお話を伺うと、共感する部分もたくさんあって、同年代だからこその刺激というんですかね。ジャンルは違っても、同世代から受けるエネルギーには、先輩方からいただくものとはまた違った強さがあるなと実感しました。

――井田さんとは、その後も連絡を取り合っていらっしゃるとか？

はい。嬉しかったのは、井田さんのスタジオで写楽の役者絵がモチーフになった絵を見て、僕が歌舞伎の本興行で『春興鏡獅子《しゅんきょうかがみじし》』をやる時はぜひ描いてもらいたいなと思っていたら、その後、井田さんのほうから連絡をいただいたんです。会いに行ったら、自分も実際に役者絵を描きたい。ここぞという時が来たら、楽屋に1週間くらい出入りしながらデッサンさせてほしいと言ってくださって。もう、めちゃくちゃ感激しました。とても大きな出会いだったなと思います。井田さんのおかげで、この対談企画がより楽しみになりました。

――続いて訪れたのは、日本のポップアートの先駆者、田名網敬一さんのスタジオ。極彩色の作品やピカソの模写が所狭しと置かれていました。

「絵を描きたくない日はない」という言葉が印象的でした。今も絶えず創作意欲が湧いているなんて、すごいなと。一生青春というんですかね。田名網さんの胸には静かなる興奮やワクワクが秘められていて、そういったものが作品に照射され続けているんだなと感じました。お話を伺って、小さい頃の戦争体験がいかに作品に反映されているかわかったんですが、怖い思いもたくさんされたはずなのに、感傷的なことはあまり話されない。その戦争との距離の取り方も印象的でした。教え子の皆さんと「年の離れた友人」という感覚でお付き合いされているというお話も素敵で、僕もそうありたいと思いました。**孫世代の人にも「けんけん」と呼ばれるような、ニュータイプの歌舞伎役者になりたい**なと（笑）。そういう意味でも田名網さんは、距離感の天才じゃないかと思います。

――3人目のお相手、Chim↑Pomのエリイさんとの対談はいかがでしたか？

対談の後、Chim↑Pomの展覧会を観に行ったんですが、やっぱり自分から最も遠いキャラクターの方だなと思いました。でも、お互いに戸惑うこともなく話せたと思うし、エリイさんは心が豊かだからこそ、日常の中にある物事や問題にアンテナが働いたり、日常を面白がったりできるんだなと。エリイさんには、僕が〝日常を面白がる天才〟だと思っている大好きな俳優・古田新太さんと、ちょっと似たところを感じる

んです。古田さんは人と関わることがすごく好きな方なんですけど、エリイさんは関わる対象がもっと広い範囲に及んでいる。その感覚も、表現の仕方も面白いし、アイディアを形にするエネルギーもすごくて、〝美しきエキセントリック〟という印象を持ちました。

〝先人たちと戦う〟という発想

——佃弘樹さんとの対談では、どんなことが印象に残っていますか?

佃さんの「歌舞伎には先人というライバルがいますよね」という言葉に、ハッとさせられました。犯罪さえ起こさなければ、なんでもありなのがアートの世界。ライバルも無限にいるという話の中で、僕が「それに比べたら歌舞伎はライバルが少ない」と言ったら、「でも、先人がいるじゃないですか」とおっしゃって。僕がそれまで持っていた先人たちへの意識は、〝先人が残した伝統を、今生きている歌舞伎役者で守っていく〟というもので、〝先人たちと戦う〟なんて発想自体、ほとんど持っていませんでした。なので、やられた!という感じでしたね。確かにその通りで、常に比べられていますから。観た人の中でどんどん巨大化していく先人のイメージと戦うことは、リスペクトとはまた別物なんだなと、その時から思うようになりました。そういう意識の変化があった上で、昨年（2022年）の「團菊祭五月大歌舞伎」で、代々の尾上菊五郎が当たり役としてきた弁天小僧菊之助[★1]に挑めたというのは、自分にとってすごく大きなことでしたね。

――5人目のお相手、横尾忠則さんとの対談も楽しそうでした。

楽しかったです！の一言に尽きるかもしれない（笑）。パフォーマンスをする時にいちばん大事なことって、〝自然でいること〟だと思うんです。それは同時に、いちばん難しいことでもありますけれども。僕が歌舞伎役者を目指すきっかけになった、六代目尾上菊五郎の『春興鏡獅子』のことを、五代目中村富十郎さんが「六代目菊五郎の『鏡獅子』の何がすごいって、天才的な素直さだ」とおっしゃっていたんですね。僕は今回、横尾さんと初めてお会いして、それと同じようなことを感じました。ものすごく自然体で、圧倒的に素直な方。でも素直で居続けることって、実は、格好をつけたり、真面目であることよりも、ずっと勇気がいることだと思うんです。「やる気なんて、もうないよ」「すべて出し切って空っぽだけど、そんな自分が何を描くか見てみたい」「耳が遠くなって便利だよ」……そんな言葉が、とても印象に残っています。

★1　弁天小僧菊之助
2022年5月、歌舞伎座「團菊祭五月大歌舞伎」第三部『弁天娘女男白浪』（べんてんむすめめおのしらなみ）より。本興行で初めて弁天小僧菊之助を勤めた右近。騙りに入った呉服店で女装を見破られ、「知らざあ　言って聞かせやしょう」と正体を現す盗っ人・弁天小僧を、目にも耳にも艶やかに、熱く瑞々しく演じきった。

——舘鼻則孝さんとの対談はいかがでしたか？

とても穏やかで優しい方、自然体で懐の深い方だなと感じました。代表作のヒールレスシューズをはじめ、作風は一見、派手な印象があるんですが、そこには日本の伝統的な技法や文化が応用されていて、そういった様々なエネルギーを吸収した上で、見る人を元気にするとか、あっと驚かせて楽しませるようなことに力を注いで表現を追求なさっているのだろうなと。あと、環境の力の大きさというのも、改めて感じましたね。そういえば、最近、何気なく絵を見ていて、「これ欲しいな」と思うものが、舘鼻さんの絵であることが多いんですよ。

——作品に隠れている〝日本の伝統〟要素に、何かしら共鳴するものがあるのでしょうか。

そうかもしれません。最近つくづく思うのは、それが古典的な手法であったり、伝統の応用であるということがわからない状態、要は、原形が一見してわからないくらい表現として飛躍しているほうが、かえって古典や伝統の手法が生きることがあるんだなということ。たとえば、歌舞伎の型にしても、まったく知らない人が見たら、「えっ、急に何？　変なの！」と違和感を覚えて、逆に伝わりづらくなってしまうことがあると思うんです。それが違和感なく成立するくらいまで自分のものにして、作品に落とし込むことが大切なんだなと。舘鼻さんは、伝統的な要素を取り入れながらも、ご自身の感覚でオリジナルの表現にしていらっしゃる。そこがすごく素敵ですよね。

――8人の中で唯一の写真家、中野泰輔さんとの対談では、どんなことが印象に残っていますか？

中野さんは、自分の記録とか歴史として作品を作っているんだろうなと感じました。あえて嫌なもの、問題があるものに表現を通して触れることで、自分が浄化されていって、その作品を見た人もそれぞれ何かを感じる。それが面白いというか。ある意味、SNSに近いものがあるような気がしました。自分が見たものをカメラで切り取って作品にしている写真家さんは、自分の目を作品にしているとも言えると思うんです。中野さんの作品は加工されてはいますけど、やっぱり絵具や筆といった道具を介していない分、すごくストレートに伝わるものがありますよね。もう一つ、「仕事も表現も、全部生活の上に成り立っているわけだから、健康第一で」と話されていたことも印象に残っています。表現をする上で、身を削る思いというのは大事ですけど、本当に身を削って、表現できる体がなくなっちゃったら、元も子もないですもんね。特に、自分の生業は体を使って表現をすることなのだから、やっぱり健康には気をつけなきゃと、改めて考えました。

――8人の中で最年少のアーティストだった友沢こたおさんとの対談は、いかがでしたか?

いちばん不思議というか、謎めいた存在でした。まだ学生さんなのに、色々なことが起きている今の状況に落ち着いて向き合い、一つひとつのことにちゃんと対処しているような印象があって。それでいて、実際に自分が活動している時の話や、自分が身を置いている世界の話になると、力強い怒りみたいなものを感じました。バランスを取りながらも、沸々としたものをぶつけていて、だからこそ表現できることもあるんだろうなと。大人はそれを、あまり面白がらないでほしいなと思いました。謎といえば、8人の中で作品を制作している時の姿がいちばん想像できないのも、こたおさんでした。1枚の絵を描き上げるのに掛かる時間は「企業秘密」だと言っていたし、どんなふうにカンヴァスに向かって、どんなふうに描いていくのか、全然想像できなくて。きっと、これから作風も変わっていくでしょうし、今後のカルチャーシーンの先頭を切っていくのだろうなという気がしています。

歌舞伎は人間力のミュージアム

――対談を通して、ご自身はどういう影響を受けたと思われますか?

★2 四代目 市川猿之助／四代目 市川段四郎の長男。女形から立役、舞踊に至るまで、優れた技量を発揮。2007年のNHK大河ドラマ『風林火山』で武田信玄役を演じて以降は、テレビや映画、現代劇にも多数出演する。2012年に伯父より猿之助の名跡を継ぎ、翌年、京都芸術劇場「春秋座」芸術監督に就任。スーパー歌舞伎IIなど演出も手掛ける。右近とは多く共演し親交も深い。公演4日目に猿之助が大怪我をして降板した2017年10-11月のスーパー歌舞伎II『ワンピース』では、右近が代役で主役ルフィを勤めた。

僕も含めて、みんなもっと〝自分がどう思うのか〟ということを考えて、大事にしたほうがいいんじゃないかと思うようになりました。コンプライアンスが厳しい今の世の中、〝人がどう思うか〟がすごく重視されていますよね。それが客観性だと言われれば、それまでだけど、じゃあ**客観性だけで生きている人間に面白味はあるのか？**と僕は思うんです。はみ出した自分が楽しんで夢中になっている時間も必要じゃないかなって。僕自身が基本的に〝人がどう思うか〟がめちゃくちゃ気になるタイプなので、余計にそう感じるようになったんだと思います。以前、（四代目市川）猿之助さん[★2]が「狐忠信（『義経千本桜』に登場する子狐の化身）をやっている時に、四の切（同作の四段目の最後にあたる「川連法眼館の場」）で目の前からお客さんが消えて、本当に狐になったような感覚になった。その瞬間が忘れられないから、またやろうと思うんだよね」とおっしゃっていたんですが、僕もそういう域まで達したいものだなと思います。

——ご自身のアートに対する意識や作品の見方には、何か変化がありましたか？

歌舞伎は４００年以上続いてきた伝統芸能で、受け継いできたものに自分のエッセンスを〝ちょい足し〟していくような世界だと思うんです。自分で川を作るわけじゃなくて、そこにある大河をどう泳ぐか、という世界。それに対して、現代アートの作家さんは、自分で川を作っている人たちなんだなと、改めて感じました。だから心惹かれるし、憧れるんだなと。でも、歌舞伎という大河も、そもそもは先人の皆さんが〝ちょい足し〟しながら作ってきたもの。だからこそ自分も、この大河の中で何かしなくちゃと、より思うようになりました。と同時に、現代アートの作家さんたちも、あれこれ試しながら、自分にしか作れないスタイル＝型に行き着いているんだなと実感して、人の心に届くものには、どうやら型らしきものがありそうだなと考えるようにもなりました。

――右近さんが大事にされている、ご自身の美意識というのは、どういうものでしょう？

何でしょうねぇ……。美意識とは違うかもしれませんが、自分がいいと思うものをシェアしたい、みんなに見てもらいたいという気持ちは、大事にしています。そういう意味でも、コロナ禍にはかなりダメージを受けました。本当は、なるべく色々な人に会って、一緒に食べたり飲んだりして人と人を繋いでいたいのに、それがほとんどできなくなってしまって。僕は〝草の根活動〟が好きで、コロナ以前は、地方公演がある時は必ずチラシと千社札をたくさん持って行って、現地で会う人、会う人を「歌舞伎、観に来てくださいね」と誘っていたんですよ。

第六回「研の會」(2022年8月、国立劇場小劇場)の『色彩間苅豆(いろもようちょっとかりまめ)〜かさね』より。本作品は、同じ家中の与右衛門と深い仲になった奥女中かさねが、与右衛門が実はかさねの母と密通し、父を殺した侍だったという因果から醜く変貌。与右衛門はかさねを殺して逃げようとするが…という清元の舞踊劇。右近は、かさねと与右衛門の二役を、吉田簑紫郎らが遣う文楽人形と回替わりで交互に熱演。人形の詞(ことば)を父・清元延寿太夫が語り、三味線方として兄・清元斎寿も出演した。
©研の會

——右近さんは、本当に歌舞伎がお好きなんですね。

好きですね。僕は、**歌舞伎を〝人間力のミュージアム〟と呼ぶようにしているんです。**歌舞伎のいちばんの魅力は〝人間のエネルギー〟で、歌舞伎を観る=修羅の道を歩く男たちのエネルギーや人間力を感じることじゃないかと思っていて。たとえば僕の師匠の(七代目 尾上)菊五郎おじさんは、偉大な六代目 菊五郎の後を若くして継いで、ものすごく苦労をした人。いつも「苦労なんか、したかな。忘れちゃったよ」といった感じで舞台に立っていますが、僕が苦しんでいると「その一言で、あと40年やっていける」と思えるようなことをポロッと言ってくれる。その人間力がお客さんにも伝わっているから、皆さん観に来てくださるのだなと感じていて。

——素敵ですね。今のお話、アート作品にも通じるものがありそうです。

はい。僕にとってのアート作品のいちばんの魅力も、やっぱり作家さんのセンスや概念、エネルギーや生き方を感じられるところ。これからも色々な作家さんと出会って、そのエネルギーや考え方を感じていきたいなと思っています。これは歌舞伎をやっていても感じることなんですが、基本的に僕は、先輩の話を聞くのが好きみたいです。子どもの頃から先輩方の背中を追いかけてきたので、慣れていることもあると思うんですが、最近、レベルが違いすぎて言葉すら通じないような状態から、ようやく多少の言葉のやりとりはできるようになってきたので、余計に楽しく感じるのかもしれません。もちろん、アートの世界については門外漢ですけれども、〝表現〟という部分は共通していますし、その分野で活躍されている方から話を聞くと、自分一人では気づけないことに気づくきっかけになります。

――この企画の対談をきっかけに、横尾忠則さんが右近さんの自主公演「研の會」のポスターを手掛けられることにもなりました。

そうなんです！　横尾さんとお会いして、じっくりお話しできたことも最高だったんですが、横尾さんが対談の原稿を確認された際に、自ら「いつか一緒に仕事しましょうよ」という言葉を付け加えてくださったと聞いて、大感激しまして。それで僕も「ぜひともお願いいたします！　断らないでください」と付け加えさせてもらいました。と同時に、これはもう、とんでもなく素敵なチャンスをいただいた、早く実現しなければ！と思ったので、今年（2023年）の夏に公演を予定している第七回「研の會」のポスターをお願いしてみることにしたんです。アポイントを取らせていただいて、直にお願いしに伺った時は、本当に嬉しかったですね。横尾さんがその場でアイデアを出しながら、「資料に囲まれながらゆっくり考えたいから、早めに資料をくだ

第五回「研の會」の『猿翁十種の内 酔奴（よいやっこ）』より。「猿翁十種」は、初代 市川猿翁が創作または復活させた舞踊と舞踊劇を、孫の三代目 市川猿之助（現・二代目 猿翁）が家の芸として制定したもの。右近はその内、文楽と歌舞伎を融合した舞踊劇で、歌舞伎俳優としては現・猿翁が1999年に踊って以来となる『酔奴』に挑戦。酔って竹馬に乗り、「三人上戸」（怒り上戸、泣き上戸、笑い上戸）を見せる奴を表情豊かに演じた。文楽座から豊竹呂勢太夫、鶴澤藤蔵、鶴澤清志郎が特別出演。2019年8月に京都芸術劇場「春秋座」、9月に国立劇場小劇場で開催。

さい」と言ってくださって。最後に「用がない時もふらっとお茶を飲みに来てくださいね」と言っていただいたことも、ありがたかったです。この企画で、きっかけをいただいたおかげです。

――出会いが新たなコラボに繋がって、こちらとしても嬉しい限りです。

ありがとうございます。この対談企画を通して、僕自身、アートに触れる豊かな時間を持つことは、とても大事なことだと改めて実感しました。もっともっとたくさんの人が、アートや歌舞伎を気軽に観るようになったらなと思います。歌舞伎を観たことがない人が、「きっかけがない」ことを理由として挙げるたびに、僕は「だったら自分がきっかけになってやる」という気持ちになるんです。それには「どうやったら観てもらえるだろう？」と考えながら、**自分の制作活動や作品に「これなら気づいてもらえるだろう」と期待を込め続ける**ことが、いちばん大事なことじゃないかと思っています。要は、人が感動するような作品を、ただひたすらに作っていくことなのかなと。僕も豊かな時間を届けられるように、より精進します。対談してくださったアーティストの皆様、そして読んでくださった皆様、ありがとうございました。これからも、どうぞよろしくお願いいたします！

尾上菊五郎家（音羽屋）家系図

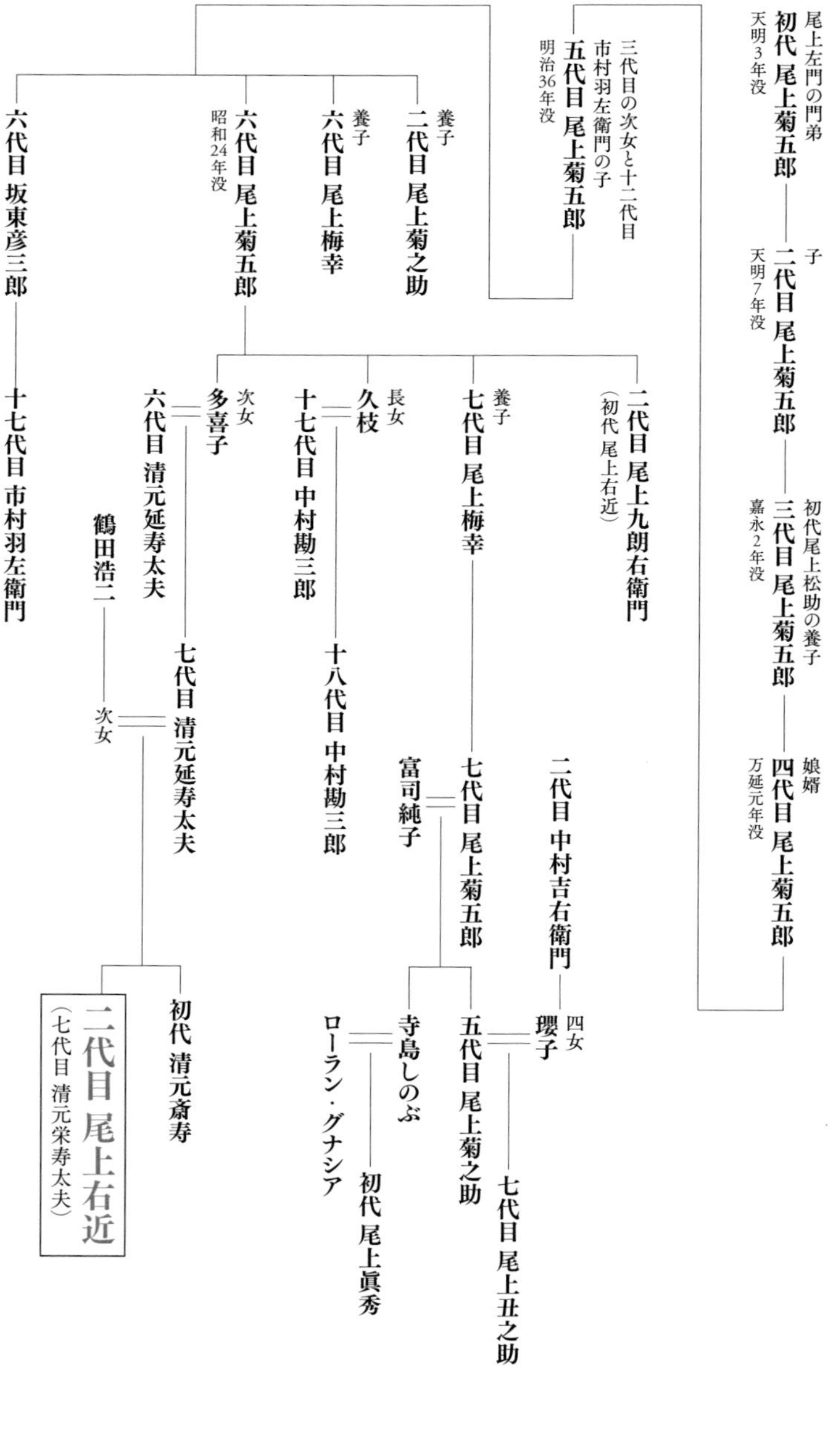
尾上左門の門弟
初代 尾上菊五郎
天明3年没
子
二代目 尾上菊五郎
天明7年没
初代尾上松助の養子
三代目 尾上菊五郎
嘉永2年没
娘婿
四代目 尾上菊五郎
万延元年没
三代目の次女と十二代目市村羽左衛門の子
五代目 尾上菊五郎
明治36年没
養子
二代目 尾上菊之助
養子
六代目 尾上梅幸
六代目 尾上菊五郎
昭和24年没
六代目 坂東彦三郎
二代目 尾上九朗右衛門
（初代 尾上右近）
養子
七代目 尾上梅幸
長女
久枝
十七代目 中村勘三郎
次女
多喜子
六代目 清元延寿太夫
十七代目 市村羽左衛門
鶴田浩二
七代目 清元延寿太夫
十八代目 中村勘三郎
二代目 中村吉右衛門
七代目 尾上菊五郎
富司純子
次女
四女
瓔子
五代目 尾上菊之助
寺島しのぶ
ローラン・グナシア
初代 清元斎寿
二代目 尾上右近
（七代目 清元栄寿太夫）
七代目 尾上丑之助
初代 尾上眞秀

二代目 尾上右近（にだいめ おのえ・うこん）

歌舞伎俳優　屋号は音羽屋

1992年5月28日、江戸浄瑠璃清元宗家・七代目清元延寿太夫の次男として、東京に生まれる。2000年4月に本名の岡村研佑で、歌舞伎座『舞鶴雪月花』松虫役にて初舞台。2005年1月、新橋演舞場『人情噺文七元結』長兵衛娘お久役、『喜撰』所化役にて、二代目尾上右近を襲名。2018年には、浄瑠璃方の名跡・七代目清元栄寿太夫を襲名する。歌舞伎以外の舞台や映画、テレビ、ラジオでも活躍。また自主公演「研の會」で研鑽を積む。映画『燃えよ剣』で第45回日本アカデミー賞新人俳優賞受賞。

公式ウェブサイト
https://www.onoeukon.info/

Instagram
@ukon_onoe.eiju_dayu.kenx2

参考文献

『かぶき手帖 2022 年版』　編集・発行／公益社団法人日本俳優協会・松竹株式会社・一般社団法人伝統歌舞伎保存会
『世襲　政治・企業・歌舞伎』中川右介・著（幻冬舎新書）
『歌舞伎ハンドブック』藤田 洋・編（三省堂）
『歌舞伎演目案内』https://enmokudb.kabuki.ne.jp/
『歌舞伎公演データベース』https://kabukidb.net/
『歌舞伎俳優名鑑 - 想い出の名優篇 -』https://meikandb.kabuki.ne.jp/omoide/
『歌舞伎俳優名鑑 - 現在の俳優篇 -』https://meikandb.kabuki.ne.jp/
『歌舞伎美人』https://www.kabuki-bito.jp/
『文化デジタルライブラリー』https://www2.ntj.jac.go.jp/dglib/
『三島由紀夫文学館』https://www.mishimayukio.jp/

あとがきにかえて

尾上右近さんとの初対面は、2018年の5月。PARCOがプロデュースする、右近さんにとって初の現代劇『ウォーター・バイ・ザ・スプーンフル~スプーン一杯の水、それは一歩を踏み出すための人生のレシピ~』についてのインタビューでした。その時の〝なんて知的で、豊かな感性と発想を持った好青年なの！〟という印象が、この対談本に繋がっています。新しいアート情報サイトで、作家さんの制作現場を訪問する連載企画案が立ち上がった時、すぐに右近さんの顔が浮かんだのです。

約1年半にわたる対談取材の中で、その印象は確固たるものになりました。初対面であっても、年の離れた大御所であっても、物怖じせず、常に敬意をもって向き合う右近さん。お相手の話を聞いた上で、自分の身や伝統芸能の世界に引き合わせてエピソードや考えを述べる姿には、頭の回転の速さとともに、歌舞伎という軸をしっかり持っている人の強さを感じました。おかげでアーティストの方々も楽しそうで、対談時間が延びることも多々。逆に、対談後の感想コメント動画は、いつもその場でサッと撮って一発でOK。毎度ながら、見事なものでした。

何より心打たれたのは、右近さんの歌舞伎愛の深さ。偉大なる名優の血を引き、人一倍憧れながらも、役者の家の生まれではない身だからこそ、見えるものや感じることがあるのだろうな、そういったことも歌舞伎へ向かうエネルギーに変えてきたからこそ、今の輝きがあるのだなと、しみじみ実感しました。

そんな人間力の塊のような右近さんにとって初の単行本を、ＰＡＲＣＯ出版から出せることに、不思議なご縁を感じています。右近さん、ご登場いただいたアーティストの皆様はもちろんのこと、ウェブ連載時から続けて編集を担当してくださった中村志保さん、書籍化を実現してくださったＰＡＲＣＯ出版の田中雅之さん、決めかねていた本のタイトルを、素敵にビジュアライズしてくださったマツダオフィスさんをはじめ、関わってくださったすべての方々に、厚く御礼申し上げます。

アートも歌舞伎も心の栄養であり、日常に彩りや気づきをもたらすもの。本書をきっかけに、そのエネルギーに生で触れたいと思ってくださる方が一人でも増えたなら、何よりの喜びです。そして、右近さんに出会っていただきたい作家さんは、まだまだいます。またこのような機会が得られますよう、自分も人間力を高めて精進せねばと思います。

編著・岡﨑 香

右近 vs 8人
尾上右近 アーティスト対談集

2023年5月28日　第1刷発行

著——尾上右近
編著——岡崎 香
写真——稲葉 真　高橋マナミ（P88-P103、P152-P167）
デザイン——松田行正　杉本聖士　倉橋弘　金丸未波（マツダオフィス）
協力——ケイファクトリー　尾上右近事務所
編集——中村志保　田中雅之
校正——聚珍社
発行人——宇都宮誠樹
発行所——株式会社パルコ　エンタテインメント事業部
〒150-0042　東京都渋谷区宇田川町15-1
https://publishing.parco.jp
印刷・製本——シナノ書籍印刷株式会社

ISBN 978-4-86506-417-9 C0095

※本書籍は2022年1月から2023年5月にかけて
「ARTnews JAPAN」で連載した記事を加筆・再編集しました。